l' ABCdaire

de Madame de

Sévigné

et le Grand Siècle

Jean-Marie Bruson
Anne Forray-Carlier
Jean-François Groulier
Jacqueline Lichtenstein

Flammarion

Qui est Marie de Rabutin-Chantal, marquise de Sévigné ? Quel fut son destin, depuis la jeunesse dorée dans le quartier du Marais, jusqu'aux retraites mélancoliques en Bretagne, en passant par l'époque des salons où s'exerce l'art difficile de la conversation ?

Le siècle de Madame de Sévigné est aussi celui de Louis XIV. Quels sont les profonds changements que connaît alors la France, tant dans l'organisation du pouvoir et de la société, que dans l'évolution des arts, des lettres et de la pensée ?

Madame de Sévigné est la contemporaine et parfois l'amie de La Rochefoucauld, Boileau, Racine, Madame de La Fayette... Ignore-t-elle qu'elle fait œuvre d'écrivain en composant ses *Lettres* ? Son style s'inscrit-il dans une tradition littéraire ? Quelle en est la spécificité ?

COMMENT L'ABCdaire Y RÉPOND...

Le guide de l'abécédaire p. 6

Il explique comment comprendre Madame de Sévigné en regroupant les notices de l'abécédaire selon les circonstances de sa vie et les traits propres à son siècle. Un code de couleurs indique le genre de chaque notice :

■ Madame de Sévigné : la vie, l'entourage, les écrits.

■ Les contemporains : les hommes de lettres, les hommes d'église.

■ Le contexte : le cadre historique, les modes de vie.

À partir de la lecture de ces notices, et grâce aux renvois signalés par les astérisques, le lecteur voyage comme il lui plaît dans l'abécédaire.

L'abécédaire p. 27

Par ordre alphabétique, on trouvera dans ces notices tout ce qu'il faut savoir pour entrer dans l'univers de Madame de Sévigné. L'information est complétée par les éclairages suivants :
- des commentaires détaillés sur quelques aspects clés de sa personnalité ;
- des encadrés qui précisent le contexte dans lequel s'inscrit sa vie.

Madame de Sévigné racontée p. 11

En tête de l'ouvrage, le récit de la vie et le sens de l'œuvre sont resitués dans leur développement historique. Cette synthèse reprend l'articulation du guide de l'abécédaire en développant chacun de ses thèmes.

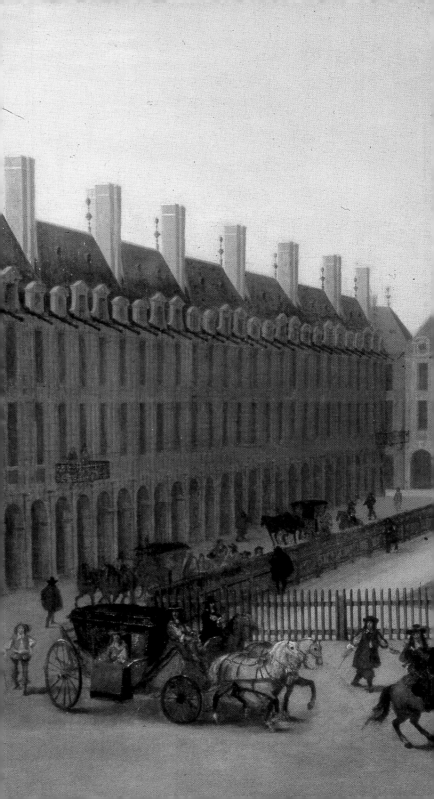

I. UNE FEMME DANS LE GRAND SIÈCLE

A. Les deux familles de Marie de Rabutin

Marie de Rabutin, née en 1626 dans le quartier du Marais, est élevée au sein de sa famille maternelle. Elle grandit dans un milieu libéral et cultivé, et reçoit une solide éducation. Son mariage avec Henri de Sévigné, en 1644, l'introduit dans la meilleure société parisienne, où elle retrouve son cousin Bussy. Son époux, volage et dépensier, meurt en duel sept ans plus tard.

- Bretagne
- Bussy-Rabutin (Roger de)
- Chantal (famille)
- Dettes
- Marais
- Paris
- Sévigné (H. et C. de)

B. Le temps des salons

Veuve, la jeune marquise est très courtisée. Spirituelle, elle est invitée dans les plus fameux salons de la capitale, notamment celui de l'hôtel de Rambouillet. Elle y rencontre tout ce que Paris compte alors de beaux esprits et de plumes acérées : érudits, écrivains, précieuses, prédicateurs célèbres…

- Bossuet (Jacques-Bénigne)
- Ménage (Gilles)
- Précieuses littéraires
- Prédicateurs
- Rambouillet (hôtel de)
- Salons
- Scudéry (Mlle de)

C. La séparation

La grande affaire de Mme de Sévigné est d'établir son fils et sa fille. Celle-ci connaît entre dix-sept et dix-neuf ans un éblouissant succès à la cour du jeune Louis XIV, où elle participe aux ballets. Son mariage avec le comte de Grignan, en 1669, l'éloigne en Provence. La marquise, quand elle ne l'y rejoint pas, trouve réconfort auprès de ses amis et dans l'échange d'une abondante correspondance.

- Ballets de Cour
- Carnavalet (hôtel)
- Grignan (comte de)
- Grignan (Mme de)
- Guitaut (comte de)
- Hacqueville (d')
- Pomponne (Arnauld de)

II. SOUS LE RÈGNE DU ROI-SOLEIL

A. De la Fronde à l'absolutisme

Dès le début de son règne personnel, le jeune Louis XIV met au pas les frondeurs qui l'ont humilié dans sa jeunesse. Les nobles sont mobilisés dans les guerres ou contraints au rôle de courtisans à la Cour. Politique étrangère, à l'extérieur, centralisation du pouvoir, à l'intérieur, fondent un État puissant et déjà moderne.

- Colbert (J.-B.)
- Condé (prince de)
- Conti (maison de)
- Fouquet (Nicolas)
- Fronde (la)
- Guitaut (comte de)
- Guerres
- Louis XIV
- Mazarin (cardinal)
- Politique étrangère
- Séguier (Pierre)
- Turenne (Henri de)

B. Paraître à la Cour

Formée dans le but explicite de maîtriser la noblesse, la Cour est un microcosme complexe, régie par le décorum et l'étiquette. En être absent c'est quasi ne plus exister, y tenir son rang nécessite des pensions dispensées par le roi… Lieu d'intrigues, on y voit se succéder les favorites royales, les grâces et les disgrâces des grands personnages.

- Cour (la)
- Favorites royales
- La Vallière (Mme de)
- Maintenon (Mme de)
- Modes et coiffures
- Montespan (Mme de)
- Montpensier (Mlle de)
- Musique
- Poisons (affaire des)
- Saint-Germain
- Siècle de Louis XIV (le)

C. Le renouveau intellectuel et artistique

La Cour, centre du royaume, et les multiples académies, fondées entre 1648 et 1672, suscitent un puissant renouveau intellectuel et artistique. Le rayonnement de Louis XIV va de pair avec celui de la culture classique. Le château de Versailles servira de modèle architectural à l'Europe du XVIIIe siècle.

- Académie (petite)
- Académies
- Descartes (René)
- Mythologie galante
- Nicole (Pierre)
- Pascal (Blaise)
- Presse (débuts de la)
- Religion
- Retz (cardinal de)
- Vaux-le-Vicomte
- Versailles

III. LA FORMATION DU GOÛT ÉPISTOLAIRE

A. L'âge classique de l'écriture

Le XVIIe siècle est un moment particulièrement brillant pour la langue française, qui voit l'apogée de l'art oratoire (Bossuet) et de la tragédie (Corneille, Racine), la multiplication des genres littéraires (fables, maximes, pensées, correspondances...), la révolution du roman et la naissance de la comédie moderne (Molière).

- Boileau (Nicolas)
- Comédie
- Corneille (Pierre)
- La Bruyère (Jean de)
- La Fayette (Mme de)
- La Fontaine (Jean de)
- La Rochefoucauld (duc de)
- Molière
- Racine (Jean)
- Roman
- Théâtre
- Tragédie

B. De l'art de bien dire...

L'élégance du style de Mme de Sévigné, à la fois élaboré et gardant une grâce toute naturelle, est inséparable de l'art de la conversation, pratiqué dans les salons, et d'une conception du monde qui met au-dessus de tout l'« honnêteté » des manières.

- Bossuet (Jacques-Bénigne)
- Conversation (art de la)
- Honnête femme
- Prédication
- Salons

C. ... à celui de bien écrire

À la différence d'un Guez de Balzac, qui inaugure l'art épistolaire en 1623, Mme de Sévigné « écrit comme elle parle », pour reprendre les mots de Mlle de Scudéry. De plus, elle n'assujettit pas entièrement son style à « l'idéal classique », gardant une vraie liberté de ton et d'expression.

- Correspondance
- Éditions et manuscrits
- Fortune critique

MADAME DE SÉVIGNÉ RACONTÉE

L e naturel, la verve amusée ou la légère mélancolie des lettres de Marie de Rabutin, marquise de Sévigné, ont longtemps fait oublier que cette femme de tête et de plume n'était pas isolée en ce XVIIᵉ siècle, même si elle n'eut pas d'égal dans l'art de se raconter et de raconter la société qui était la sienne. Pour cet écrivain malgré elle, chaque moment de la vie appelait l'écriture, et réciproquement. Mme de Sévigné fut contemporaine de la Fronde et de l'instauration de la monarchie absolue. Par son mode d'être, ses préférences intellectuelles et ses goûts, elle n'est pas seulement un témoin privilégié de son temps : elle en exprime par son écriture les traits les plus marquants. Déclarer, comme certains l'ont fait, que ce qui était le plus intéressant dans sa correspondance, c'était l'auteur lui-même et lui seul, est manifestement erroné. Si elle est moins souvent citée que Saint-Simon par les historiens, elle ne cesse cependant de décrire des pans entiers de cette société du XVIIᵉ siècle où se croisent la haute noblesse, représentée par un La Rochefoucauld ou un Bussy-Rabutin, des esprits religieux comme Bourdaloue ou Nicole, des auteurs comme Boileau, Mme de La Fayette, La Fontaine, Perrault ou Mlle de Scudéry, et des personnalités aussi fortes que Mme de Maintenon.

École française du XVIIᵉ siècle, *Christophe de Coulanges*. H/t 71 × 55. Comte Amaury de Ternay, château des Rochers-Sévigné.

I. Une femme dans le Grand Siècle
A. Les deux familles de Marie de Rabutin

Le cercle familial de Mme de Sévigné résultait de l'alliance de deux familles disparates : les Rabutin (voir Chantal), d'une part, vieille famille bourguignonne remontant au XIIᵉ siècle et s'étant illustrée dans de nombreux hauts faits ; les Coulanges, d'autre part, modeste famille de roturiers auvergnats qui venait de faire fortune dans les fournitures aux armées. Aussi, le mariage de Marie de Coulanges et de Celse-Bénigne de Rabutin, signé à Paris* le 14 mai 1623, fût-il considéré par les Rabutin comme une mésalliance insupportable. Ce rejet de la branche paternelle fut une chance pour la jeune Marie, unique enfant du couple, née en 1626 et bientôt orpheline de père (1627) puis de mère (1633), car elle lui assura une enfance heureuse (voir Marais), au sein du clan Coulanges, dans une ambiance cultivée, libérale et aisée, où elle allait développer un sens profond de la famille. Son grand-père eut le souci de lui assurer une formation

École française du XVIIᵉ siècle, *Celse-Bénigne de Rabutin-Chantal* (détail). Comte Amaury de Ternay, château des Rochers-Sévigné.

Page 10 :
École française
du XVIIe siècle,
*Marie de Rabutin
jeune.*
H/t 183 × 123.
Comte Amaury
de Ternay,
château des
Rochers-Sévigné.

École française
du XVIIe siècle,
*Henri
de Sévigné*
(1623-1651).
H/t 81 × 66.
Comte Amaury
de Ternay,
château
des Rochers-
Sévigné.

intellectuelle solide, dépassant largement la moyenne de l'éducation donnée alors aux filles, qui l'ouvrit à la littérature moderne, française et italienne, sans pour autant la faire passer par l'apprentissage du latin et de la rhétorique, enseignements réservés aux garçons. Ainsi, elle put forger et développer ce style spontané et naturel, exempt d'emphase, reflet de la conversation, qui fait tout le prix de ses lettres.

En épousant, le 4 août 1644, Henri de Sévigné*, Marie de Rabutin entrait dans une famille bretonne (voir Bretagne) qui se prévalait d'une ancienneté comparable à sa lignée bourguignonne, jeu d'alliance qui allait l'introduire dans la meilleure société parisienne. Tout en conservant de solides attaches dans les milieux parlementaires, elle devint, par son mariage, parente de la puissante famille de Gondi, et du cardinal de Retz, et fut introduite à l'hôtel de Condé. Elle y retrouva son cousin Bussy-Rabutin*, se lia avec des écrivains, comme Lenet, Marigny, connut la duchesse de Châtillon, la Grande Mademoiselle, La Rochefoucauld, etc. Toute cette jeunesse, qui

Claude Lefèvre,
Mme de Sévigné,
v. 1665.
H/t 81 × 65.
Paris,
Carnavalet.

maniait volontiers la plume et l'esprit, alliait aussi la bravoure à l'inso-
lence et donna ses principaux meneurs à la Fronde. Deux enfants
– Françoise-Marguerite, en 1646, et Charles, en 1648 – vinrent cou-
ronner une union que les témoignages contemporains s'accordent à
qualifier de malheureuse. Beau et plein d'esprit, mais volage et dépensier, le marquis de Sévigné entretint en effet très vite de nombreuses
liaisons, dont une avec la belle Ninon de Lenclos, au point de « rui-
ner » sa femme (voir Dettes), si l'on en croit Tallemant. Il allait trouver la mort, à la suite d'un duel motivé par une rivalité amoureuse.

B. Le temps des salons

Veuve à vingt-cinq ans (1651), la jeune marquise, fut très vite
entourée par toute une foule de soupirants : « Je ne pense pas qu'il y
ait au monde, lui écrivait Bussy en 1655, une personne plus générale-
ment estimée que vous. Vous êtes les délices du genre humain :
l'antiquité vous aurait dressé des autels et vous auriez assurément été
déesse de quelque chose. Dans notre siècle, où l'on n'est pas si pro-

digue d'encens, et surtout pour le mérite vivant, on se contente de dire qu'il n'y a point de femme à votre âge plus aimable ni plus vertueuse que vous. Je connais des princes du sang, des princes étrangers, des grands seigneurs façon de prince, des grands capitaines, des ministres d'État, des gentilshommes, des magistrats et des philosophes qui fileraient, si vous les laissiez faire, pour vous. » Parmi ses admirateurs, on relève aussi bien le prince de Conti que le vicomte de Turenne, le duc de Rohan-Chabot que le marquis de Vassé, mais le plus fervent d'entre eux fut sans doute le tout puissant surintendant Fouquet, auquel elle allait vouer une amitié fidèle, même après sa chute.

Célèbre pour son esprit et sa gaîté, personnage à la mode, Mme de Sévigné était accueillie dans les salons* les plus recherchés de la capitale, comme l'hôtel de Rambouillet* ou l'hôtel de Nevers. Elle y retrouvait ses amis Ménage*, Chapelain, Mme de La Fayette, Mlle de Scudéry* (voir Précieuses littéraires), etc. Elle y fit connaissance de tout ce qui comptait dans le monde des arts et des lettres, Corneille, Boileau, Bossuet*, Racine, Benserade, Bourdaloue (voir

Prédicateurs), etc., et fut le témoin de l'apparition de leurs œuvres. On a la chance de saisir, au travers de sa correspondance, l'effet que produisirent sur le public cultivé du temps, des ouvrages aujourd'hui classiques, et à ce titre objets d'une déférence obligée, mais alors dans la fraîcheur de leur première nouveauté.

C. La séparation

Mme de Sévigné ne voulut jamais se remarier et se dévoua totalement à son rôle de mère attentive. Après leur avoir assuré une enfance choyée, garantir un bon mariage à sa fille et une honorable situation à son fils devinrent ses buts principaux, et l'incitèrent à profiter de toutes les relations qu'elle pouvait avoir à la Cour. Le mariage de Françoise tarda pourtant à se concrétiser – au moins selon les critères de l'époque –, et la « plus jolie fille de France » avait déjà vingt-trois ans lorsqu'elle épousa le comte de Grignan* (1669), alliant les Sévigné à une famille dont le renom et l'ancienneté, sinon la fortune, pouvaient satisfaire à toutes les exigences. Auparavant, la jeune fille avait connu un éblouissant succès à la Cour. Sa beauté,

Château de Grignan.

dans toute la fraîcheur de son printemps, y avait fait sensation, et sa participation aux ballets* dansés par le roi, pendant plusieurs saisons, aux côtés de Madame, de Mlle de La Vallière, de Mme de Montespan, fut remarquée et interprétée comme un intérêt marqué du monarque pour la jeune fille. Le départ de Mme de Grignan* en Provence – où elle suivait son mari, nommé Lieutenant-général pour le roi – fut pour sa mère un véritable arrachement, et suscita des lettres qui allaient devenir fameuses. C'est dans le cercle plus restreint des amitiés intimes que Mme de Sévigné trouva alors une compensation à cette absence si douloureusement ressentie. Les visites quotidiennes, reçues ou données, de l'un ou l'autre de ses proches – Mme de La Fayette, Mme de Lavardin, le cousin préféré, Emmanuel de Coulanges, et son épouse, Corbinelli, d'Hacqueville*, les Guitaut*, les Chaulnes, etc. –, en même temps qu'elles satisfaisaient son goût pour l'amitié et la conversation, devinrent autant d'occasion d'évoquer la « toute bonne » devant des oreilles acquises, et d'accumuler les nouvelles et les anecdotes qu'elle allait pouvoir ensuite rapporter à sa fille dans des lettres exutoires à sa peine.

École française du XVIIe siècle, *Philippe-Emmanuel de Coulanges* (1633-1716). H/t 75 × 59. Comte Amaury de Ternay, château des Rochers-Sévigné.

II. Sous le règne du Roi-Soleil
A. De la Fronde à l'absolutisme

Renforcé par la détermination inflexible de Richelieu et ensuite par la politique louvoyante de Mazarin*, l'État possède une stabilité et une organisation capable de supporter les épreuves les plus rudes. La Fronde* fut un mouvement de révolte, représentée d'abord par les parlementaires et ensuite par la haute noblesse, contre cette institution si puissante qui préfigurait les

Attribué à Charles Poerson, *Louis XIV vainqueur de la Fronde*, v. 1654. H/t 166 × 143. Musée national du château de Versailles.

...TER APPLAVDENS LODOICO FVLMINA CESSIT,
...QVE NOVVM MVNDVS SENSIT ADESSE IOVEM.

formes les plus achevées de la monarchie absolue. Ceux qui pensaient que l'aristocratie pouvait encore détenir un pouvoir politique autonome, c'est-à-dire les Condé*, La Rochefoucauld, Conti*, Longueville, furent en fait les dupes de l'histoire. Ils étaient destinés à servir ce nouveau pouvoir, qui possédait l'administration la plus organisée et une volonté hégémonique sans égale en Europe (voir Politique étrangère). Ce désir de prépondérance eut pour effet des guerres* constantes avec l'Angleterre, l'Autriche, les Pays-Bas et qui furent menées par des stratèges aussi prestigieux que Turenne*, Condé ou Villars. Modernisée par Louvois, l'armée devient en nombre et en qualité la première de toutes les nations européennes. Mme de Sévigné, qui connut la Fronde, suivait avec attention les opérations militaires auxquelles participaient des membres de sa famille ou des amis.

La prise de pouvoir par le jeune Louis XIV* mit un terme à la crise politique. Le procès du surintendant Fouquet*, en 1661, ne montra pas seulement la volonté du monarque, il eut valeur de symbole pour cette génération de seigneurs, de nobles d'épée et de bourgeois, possédée par le désir d'ascension sociale. La hiérarchie de corps, de privilèges et de préséances prend alors une forme plus rigide, plus contrastée, ne cessant de nourrir les ambitions et les intérêts. Dans cette société peu favorable au crédit, à la spéculation et surtout à l'initiative privée, chacun convoite les terres, les offices et l'anoblissement. Séguier*, chancelier de France, Colbert*, l'infatigable gestionnaire, Le Tellier, secrétaire d'État depuis 1643, veillent sur ce nouvel édifice administratif et judiciaire. Le roi est ainsi maître d'un État qui fonctionne avec efficacité, dût-il s'imposer au prix d'injustices criantes et de diverses oppressions. Soumis aux impôts du roi, aux dîmes du clergé et aux redevances de la noblesse, le paysan connaîtra un régime impitoyable, contraint de porter le poids d'une économie souvent défaillante en raison des guerres incessantes. Condition d'autant plus pénible que les grands sont le plus souvent dépourvus de toute mansuétude. Assistant à la répression des révoltes bretonnes, Mme de Sévigné, pourtant si attentive et compatissante pour ses proches, peint des scènes atroces avec le détachement le plus froid. En dépit des réflexions ulcérées d'un Fénelon ou d'un Vauban, la dureté de l'ordre social semble appartenir à l'ordre des choses.

Les Plaisirs de l'île enchantée, 1664.
Plume et lavis, 45,5 × 32.
Paris, Bibliothèque nationale de France.

B. Paraître à la Cour

Si la formation de la cour* de Versailles a pour fin de surveiller cette noblesse trop arrogante, trop entreprenante, elle entraîne des transformations dans les comportements désormais soumis à de nouvelles codifications. Sans doute, l'ordre des hiérarchies est-il plus que jamais défini, fixé, voire durci. Il obéit à un système de protocoles, d'étiquettes et de règles dont le monarque fut souvent le metteur en scène, sinon le modèle incomparable. La Cour devient le lieu où se trament sans cesse les intrigues, où se forment les coteries et où les favorites* de Louis XIV représentent un scandale permanent. Plus ou moins congédiée par le roi, Mlle de La Vallière* entre au couvent. Mme de Montespan* lui succède mais finit compromise, à

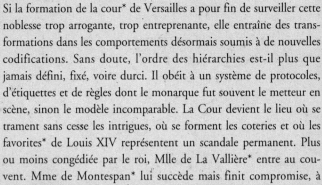

École française du XVIIᵉ siècle, *Madame de Maintenon agenouillée sur un carreau.* Gravure aquarellée, 29 × 19,3. Musée national du château de Versailles.

l'occasion de l'affaire des poisons*, pour des pratiques relevant de la sorcellerie. Mme de Sévigné nous décrit les derniers épisodes de cette affaire avec l'exécution en place publique de la Voisin, condamnée pour empoisonnement.

Le siècle de Mme de Sévigné est essentiellement le siècle* de Louis XIV, « le plus grand des rois », à propos duquel elle écrit : « Ce qui me plaît souverainement, c'est de vivre quatre heures entières avec le roi. » Le monarque fut de son vivant l'objet d'une idolâtrie que nous pouvons à peine imaginer. L'abbé de Polignac disait assez joliment que la pluie de Marly ne mouillait jamais. En vérité, si la pluie ne mouille jamais à Marly ou à Versailles, c'est que le règne a en quelque sorte transfiguré la réalité en multipliant les figures métaphoriques du pouvoir et en favorisant quantité de formes d'émulation. Pour hyperboliques qu'ils puissent paraître aujourd'hui, ces propos ne sauraient se réduire à la seule flagornerie. Puissant durant les deux premières décennies, l'engouement presque général pour le jeune roi fait naître de nouvelles pratiques artistiques ou scientifiques. L'esprit, le talent, parfois le génie sont mobilisés pour chanter les exploits et les vertus du souverain. Allégories, ballets symboliques, médailles, emblèmes et une profusion de figures exaltent l'éclat d'un règne que Louis veut personnifier. Les signes du pouvoir scintillent ainsi en exhibant et en produisant l'efficience du symbolique dans tous les espaces du royaume et de l'Europe.

C. Le renouveau intellectuel et artistique

On peut dire que l'amour frénétique du paraître et du protocole émane d'un souverain soucieux de la mode et attentif à la beauté de la langue. Parfois arbitre du goût, il participa dans sa jeunesse aux grands ballets de Versailles*, trancha en matière d'architecture et de peinture. Quoique ne faisant presque jamais mention des arts de son temps, Madame de Sévigné donne cependant à sa fille une description précise des décorations du service funèbre qui fut célébré à la mort du chancelier Séguier : « C'est le chef-d'œuvre de Le Brun », conclut-elle. Mais, devant cette mise en représentation de devises, de peintures ou d'emblèmes, elle s'attache moins aux formes et aux couleurs qu'aux signes. Sans partager l'indifférence assez fréquente de la noblesse pour les arts, elle montre surtout une prédilection pour les ballets allégoriques ou relevant de la mythologie* galante.

Sébastien Leclerc, *Pompe funèbre du chancelier Séguier*, 1672. Gravure. Paris, Bibliothèque nationale de France.

Parfois grossière et souvent sans lectures, l'aristocratie doit désormais faire preuve d'un goût, d'un tact et d'une faculté de juger à la mesure de son rang. Si l'idée d'une fronde politique n'est plus guère concevable, une fronde dans le domaine du goût, qui s'opposerait au pouvoir symbolique qu'exerce le milieu versaillais, ne l'est pas davantage. La Cour, comme centre du royaume, et ces institutions que sont les multiples académies* (de peinture, sculpture, architecture, musique, sciences, etc.), les cercles jésuites et les milieux jansénistes suscitent en tous lieux une émulation entre les champs intellectuels. Le temps de ce long règne fut celui de profondes mutations dans tous les domaines du savoir et de la réflexion. L'Académie des sciences, fondée en 1666 par Colbert, invite des savants européens aussi prestigieux que Huygens ; on y discute du calcul différentiel et intégral que Leibniz venait de découvrir au même moment que Newton. Le *Journal des savants* est fondé en 1665 (voir Presse). En dépit de la censure qu'imposent en vain la Sorbonne et le pouvoir, la pensée de Descartes* ne cesse de pénétrer les esprits et la référence à la raison s'affirme aussi bien dans les sciences que dans la métaphysique et les arts. Sans être véritablement consciente de ces révolutions, Mme de Sévigné en eut quelques échos par ses proches : Corbinelli, le cardinal de Retz*, Mme de Grignan, cartésienne fervente, et par ses « chers amis » jansénistes. Elle sentit la nécessité de s'informer, ne serait-ce qu'en lisant Pascal* et Nicole*.

Rien n'est plus exemplaire des bouleversements du siècle que l'évolution de la vie religieuse, pourtant magnifiquement représentée par tant d'écoles spirituelles (voir Religion). Le temps d'une génération, les grands dogmes de l'église catholique sont souterrainement minés par un Fontenelle, un Spinoza, un Bayle et tant d'autres, tous convaincus que la seule autorité légitime n'est autre que la raison. Absorbé par son combat contre les protestants et les quiétistes, Bossuet ne voit pas que des ennemis autrement plus redoutables se profilent, annonçant le siècle qui vient, et dont les doctrines, encore sans nom propre (théisme, déisme ou matérialisme), portent en elles-mêmes un pouvoir infini de subversion.

III. La formation du goût épistolaire
A. L'âge classique de l'écriture

Ce grand moment de maturité de la langue française qu'est le classicisme (voir Boileau) ne dure que deux ou trois décennies : Mme de La Fayette* fixe le genre romanesque (voir Roman), La Fontaine* publie ses fables, Racine* donne au théâtre* ses tragédies* (voir aussi Comédie, Molière), La Rochefoucauld* impose la maxime comme genre supérieur, Bourdaloue, Bossuet ou Fléchier portent l'art oratoire à un degré de perfection inconnu jusqu'alors.

En revanche, si l'art épistolaire a acquis ses titres de noblesse, surtout depuis Guez de Balzac, peut-on le ranger parmi les genres littéraires ? Ce qui est évident pour nous ne l'est pas pour un homme du XVIIe siècle. Après tout, la plupart des correspondances ne seront publiées que beaucoup plus tard. Celle de la marquise de Sévigné ne sera imprimée qu'en 1725, fort imparfaitement il est vrai et réduite à trente et une lettres, abusivement corrigées, expurgées par une famille et des proches plus soucieux des convenances que de la qualité du texte. Toute sa vie, l'auteur eut la plus grande admiration pour La Fontaine, Corneille* et Nicole. Si ses réserves à l'égard de Racine ou de Bossuet peuvent nous étonner, elles n'étaient pas rares à l'époque.

B. De l'art de bien dire…

La fortune* critique (voir Éditions) de l'œuvre a contribué à mettre en lumière la vivacité, la spontanéité et la fraîcheur du style de Mme de Sévigné. Et certes peu d'auteurs ont su combiner une écriture aussi savante, aussi souple, aussi élaborée, avec une telle vivacité dans l'expression. Les tonalités de l'émotion, les variations de

Simon Vouet (1590-1649), *Polymnie, muse de l'éloquence.* H/t 81 × 100. Paris, Louvre.

l'humeur, la gaieté la plus franche ou la tristesse la plus imperceptible, semblent en quelque sorte jaillir à la surface de cette prose parfaitement rythmée. Cet art est inséparable d'une conception du monde propre à la Cour et aux salons. Ainsi, Mme de Sévigné observe, étudie et note comment un seigneur a su se comporter adéquatement en apprenant la mort de son fils à la guerre. Son expression et son attitude étaient parfaites, c'est-à-dire conformes aux codes implicites d'une élégance qui doit toujours prévaloir sur l'émotion spontanée. Être, c'est essentiellement être en représentation, c'est-à-dire se soumettre à l'ordre de la représentation. De la manifestation la plus extérieure à l'expression la plus intime, la langue et surtout l'écriture obéissent à ce régime. Quoique s'adressant à quelques particuliers ou à quelques proches, l'art de la correspondance* est entièrement traversé par le souci de la mise en représentation de soi et des autres. Tout sentiment, toute idée ou toute expression est d'abord un signe pour les autres, donc représentable, dans la mesure où il correspond aux règles de la convenance et aux critères « esthétiques », voire à ce « je ne sais quoi » qui témoigne de la perfection du goût. Cela ne signifie nullement que les effusions de Mme de Sévigné puissent être dépourvues de sincérité ou d'émotion véritablement ressentie, mais que le discours est le lieu par excellence des affects. L'émotion et le mot, l'ordre du discours et celui des sentiments et des idées ne font qu'un. Chacun donne une extension à l'autre.

C. ... à l'art de bien écrire

Deux pratiques sont à l'œuvre dans la formation du style de Mme de Sévigné : la conversation*, telle qu'on l'entendait dans les salons, et l'art épistolaire. Dès 1654, Mlle de Scudéry disait de la marquise : « Sa conversation est aisée, divertissante et naturelle. Elle parle juste, elle parle bien... J'oubliais de vous dire qu'elle écrit comme elle parle. » Tous ses proches, y compris le sarcastique et parfois médisant Bussy-Rabutin, font l'éloge de sa gaieté, de son esprit et de son aisance. Mais surtout, « elle écrit comme elle parle ». La phrase n'est pas simplement un compliment : elle énonce un principe essentiel de l'art d'écrire. Ainsi, Guez de Balzac n'a pas toujours su éviter un style trop sentencieux, trop manifestement occupé par le rythme de sa phrase, pour trouver le ton tout à fait adéquat de la lettre. Il est vrai que, durant l'espace d'une génération, de nouvelles conceptions de l'art de bien dire, de cette forme si particulière de l'éloquence qu'est la conversation, se sont imposées de manière générale. Si éloigné qu'il soit des préoccupations d'un Méré, d'un Pascal ou d'un

Bouhours, un philosophe comme Malebranche ira jusqu'à remanier son écriture afin de lui donner l'aisance de la parole, en particulier dans ses *Entretiens sur la métaphysique et sur la religion*. Le naturel, la grâce, la simplicité sont devenus les critères d'évaluation de tout discours écrit ou parlé. La marquise de Sévigné adhérait sans réserves aux vues de La Fontaine selon lesquelles la grâce l'emportait sur la beauté. Maîtriser la parole, l'écriture, l'art de la description, l'auteur se limitera toujours étroitement à cette ambition qui tient autant de l'éthique que de l'esthétique. Sa formation ne pouvait que l'y inciter : elle connaissait l'italien, l'espagnol, assez de latin pour se familiariser avec la mythologie, et elle n'a jamais cessé de lire les grands auteurs de son temps, y compris les plus austères. Elle sait cependant garder une certaine distance par rapport à « l'idéal classique », ne renonçant pas aux expressions familières ou archaïques, aux dissymétries propres à rendre les mouvements de l'imagination. D'où la souplesse de sa phrase, apte à saisir toutes les nuances et toutes les variations. Comme les meilleurs auteurs de son temps, elle a la religion du mot propre, de la parfaite justesse du terme. Mais elle se distingue toutefois en ce qu'elle sait peut-être mieux que les autres effacer toute trace de recherche ou d'effort. L'art de Mme de Sévigné possède pleinement cette science du naturel que les femmes du XVIIe siècle ont su inventer et porter à sa plus haute perfection.

Bureau de Mme de Sévigné, Chine, XVIIe siècle. Bâti de sapin, laque noir et ornements dorés, 100 × 94 × 53. Paris, Carnavalet.

Anne FORRAY-CARLIER, Jean-Marie BRUSON et Jean-François GROULIER

■ Académie (Petite)

Le nom de Petite Académie ne désigne pas à ses débuts une institution organisée comme l'étaient les autres académies* royales. Colbert* avait demandé à quelques érudits, dont quatre académiciens (d'où le nom donné à ce qui n'était en fait qu'une commission), de se réunir chaque semaine afin de donner leur avis sur les ornements, les inscriptions et les œuvres se référant à des modèles antiques. Étant donné l'activité artistique de cette époque, il convenait de consulter ces savants sur l'exactitude des allusions à l'antique ou sur l'ingéniosité de telle invention symbolique (allégorie, devise, emblème, inscription, légende de médaille). En vérité, ces activités théoriques et surtout pratiques n'avaient qu'une seule fin : l'exaltation de la gloire du roi par la médiation de signes et de figures symboliques. Bien que destinée à des œuvres de pure propagande, la Petite Académie n'en exigeait pas moins de ses membres des qualités exceptionnelles de goût et d'érudition. L'invention des devises du roi, des légendes des médailles, des inscriptions des décorations funèbres ou des décors de fêtes appartiennent assurément à un art de l'esprit, fait de subtilités et de science littéraire. Il est curieux en effet de constater à quel point ces jeux d'esprit, faisant appel à des codifications d'une extrême complexité, ont pu revêtir une signification politique au sein et hors de l'académie. À la fin du siècle, la Petite Académie reçoit plus volontiers des érudits comme Dacier ou des historiens comme Félibien. En 1701, on l'élève au rang d'Académie royale des inscriptions et médailles. JFG

■ ACADÉMIES : DES CRÉATIONS ROYALES

La volonté normalisatrice du Grand Siècle* se concrétisa par la fondation d'académies qui, dans tous les domaines, allaient s'employer à établir des règles et un enseignement rigoureux et uniformisé. D'une manière caractéristique, Voltaire choisit l'année de la création de l'Académie française, 1635, pour le début de son *Siècle de Louis XIV*. À la suite de cette première fondation, voulue par Richelieu, on vit se succéder, toutes protégées par le pouvoir royal et au service du rayonnement de la France, les Académies de peinture et de sculpture (1648), de danse (1661), des inscriptions (1663), des sciences (1666), d'architecture (1671) et de musique* (1672). La clarification de la langue, l'établissement d'une doctrine esthétique stricte, l'examen rationnel des nouvelles connaissances étaient au programme de ces institutions, aussi bien que leur diffusion par la voie de l'enseignement et de publications. L'établissement de ces nouvelles règles n'alla pas sans dissensions ; la plus célèbre reste la querelle entre « poussinistes » (partisans de la primauté du dessin) et « rubénistes » (partisans de celle de la couleur), qui agita l'Académie de peinture dans les années 1670. Mme de Sévigné semble avoir peu suivi ces affrontements théoriques. Elle prit pourtant vigoureusement la défense de deux poètes qu'elle aimait, Benserade et La Fontaine*, impliqués dans une autre querelle, celle qui opposa, en 1686, Furetière aux académiciens français. JMB

ANNE

Anne d'Autriche

Fille aînée de Philippe III d'Espagne et de Marguerite d'Autriche, Anne (1601-1661) fut fiancée dès 1612 au jeune Louis XIII. Elle l'épousa en 1615, renonçant à ses droits au trône d'Espagne. Gaie, jolie, aimant les plaisirs, elle était tout l'opposé de son royal époux. Victime de la politique* qui avait voulu cette union étroite des deux puissances catholiques, le couple était souvent en désaccord, le roi subissant en outre les pressions de Richelieu, et la reine celles de l'intrigante Mme de Chevreuse.

École française
du XVIIᵉ siècle,
*Anne d'Autriche et
le jeune Louis XIV.*
H/t 120 × 96.
Musée national
du château
de Versailles.

Opposée à la politique de Richelieu dont elle ne voyait que les moyens et non la fin, qui était de faire de la France une grande puissance, Anne entretint des contacts avec ses parents espagnols alors même que la guerre* était déclarée entre les deux pays. Informés, Richelieu et Louis XIII la firent passer aux aveux, achevant de l'humilier. En août, le roi pardonna, honorant à nouveau son épouse, qui quelques mois plus tard lui donnait un héritier. La mort de Richelieu, en 1642, suivie de celle de Louis XIII, en 1643, firent de la reine la régente. En choisissant de maintenir Mazarin*, elle trompa les attentes et

À droite :
Henri Gissey,
*Le Ballet de la
nuit : Louis XIV
habillé en soleil,*
1653.
Plume, lavis et
gouache rehaussé
d'or, 16,7 × 26.
Paris,
Bibliothèque
nationale
de France.

soutint efficacement son premier ministre dans la lutte contre l'Espagne et dans son souhait d'imposer aux Français l'autorité de leur roi. Comment expliquer ce revirement ? Uniquement conduite par son amour maternel, qui fit d'elle une Française à part entière, la reine eut à cœur de transmettre au jeune Louis XIV* un pouvoir fort. AFC

Arnauld d'Andilly (famille)

Le nom de la famille Arnauld est indissolublement lié à l'histoire de Port-Royal. Père de vingt enfants, Antoine Arnauld (1560-1619) fut avocat, conseiller d'État et il restaura l'abbaye de Port-Royal. Son fils Robert Arnauld d'Andilly (1588-1674), homme de lettres, traducteur et « solitaire », fut souvent en relation avec Mme de Sévigné.
Entretenant une abondante correspondance*, il écrivit souvent aux grands afin de faire comprendre les véritables intentions des auteurs de Port-Royal, devenant en quelque sorte leur avocat.
Il eut deux sœurs illustres : Jacqueline Marie Angélique, qui introduisit le jansénisme (voir Religion) à Port-Royal, et Jeanne Catherine Agnès, dite mère Agnès, qui y fut abbesse. Cadet de cette nombreuse famille, Antoine Arnauld (1612-1694), dit le Grand Arnauld, fut l'une des figures intellectuelles du courant avec Pascal*, Nicole* et Lancelot. Formé par l'abbé de Saint-Cyran, il fit siennes les thèses les plus radicales de l'augustinisme à propos de la grâce et prit la tête du parti janséniste. Ce qui le fit exclure de la Sorbonne en 1656 et le contraignit à mener

une existence parfois clandestine. Il aida Pascal dans sa rédaction des *Provinciales* en lui fournissant documents et conseils. Il écrivit *De la fréquente communion*, une *Apologie pour les saints Pères*, et un nombre considérable d'ouvrages théo-logiques. Dans son œuvre philosophique dominent la *Grammaire générale et raisonnée* (1660, avec Lancelot) et la *Logique de Port-Royal* (1662, avec Nicole), deux livres demeurés célèbres et qui le placent parmi les grands esprits de son siècle. JFG

D'après Jean-Baptiste Champaigne, *Antoine Arnauld, dit le Grand Arnauld.* H/t 69 × 57. Musée national du château de Versailles.

■ BALLET DE COUR
Danser avec Louis XIV

Avant l'apparition de la tragédie* lyrique de Lully (voir Musique), et en même temps que les tentatives d'acclimatation de l'opéra italien en France, le ballet de cour jeta ses dernier feux avec les somptueux spectacles offerts au début de son règne par Louis XIV* à sa cour. Ce genre national mêlait la danse et le chant, et les plus grands personnages — et le roi lui-même — ne dédaignaient pas de s'y produire.

L'un des plus beaux ornements de ces fêtes, durant trois années, ne fut autre que Mlle de Sévigné, que sa beauté éclatante et sa grâce avait fait surnommer « la plus jolie fille de France ». Dans le *Ballet des Arts* (1663), elle incarnait une bergère, puis une amazone, dansant au côté du roi et de Madame. Dans le ballet des *Amours déguisés* (1664), elle fut une nymphe maritime au côté de Mme de Montespan* et de Monsieur. Enfin, dans le *Ballet royal de la naissance de Vénus* (1665), on la vit en Omphale, auprès d'Hercule dansé par Monsieur. Pour avoir repoussé les avances du roi, elle subit une légère disgrâce et ne dansa plus les années suivantes. À l'occasion des répétitions d'un nouveau ballet à la Cour*, des années plus tard (en 1681), Mme de Sévigné évoquera avec nostalgie ceux où avait triomphé sa fille : « Mais vous-même, ma fille, je crois que, sans radoterie, vous pourrez dire qu'il ne fait point souvenir du vôtre, et qu'il y avait quatre personnes, avec feue Madame, que les siècles entiers auront peine à remplacer et pour la beauté, et pour la belle jeunesse, et pour la danse. Ah ! quelles bergères et quelles amazones ! » JMB

Jean-Baptiste
Santerre,
Nicolas Boileau.
H/t. Lyon, musée
des Beaux-Arts.

■ Boileau-Despréaux (Nicolas)

Figure emblématique de la mise en forme de la doctrine classique, avec son *Art poétique* (1674), Nicolas Boileau (1636-1711) avait débuté en littérature avec des *Satires* stigmatisant l'emphase et les bizarreries de style de la génération littéraire précédant la sienne, où il s'en prenait particulièrement à des figures adulées, comme Chapelain ou les Scudéry*. À l'inverse, défenseur de Molière* lors de la querelle de l'*École des femmes*, et lié bientôt avec Racine*, qu'il devait activement seconder lors des attaques dont celui-ci fut victime, il pouvait faire figure de champion de la littérature moderne. C'est pourtant le parti des Anciens qu'on le vit défendre avec vigueur, lors de la *querelle des Anciens et des Modernes* (1687) ; il y trouvait prétexte pour critiquer ceux de ses contemporains qu'il

n'aimait pas. Si on voit surtout en lui, aujourd'hui, l'apôtre du bon sens et de la froide raison, il était plutôt perçu, en son temps, comme un critique mordant et un poète parodique (*Le Lutrin*, 1674). La première mention que nous ayons de Boileau dans les lettres de Mme de Sévigné remonte à l'année 1671, alors qu'il se trouvait impliqué dans les intrigues amoureuses de Charles de Sévigné et de Racine avec la tragédienne Champmeslé. Ensuite, son nom apparaît régulièrement, ses œuvres étant toujours évoquées en termes louangeurs, comme dans la lettre du 15 janvier 1674 à Mme de Grignan* : « J'allai dîner samedi chez M. de Pomponne*, et puis, jusqu'à cinq heures, il fut enchanté, enlevé, transporté de la perfection des vers de la *Poétique* de Despréaux. » JMB

■ Bossuet (Jacques Bénigne)

Fils d'un avocat de Dijon, Jacques Bénigne Bossuet (1627-1704), après des études chez les jésuites, est introduit dès l'âge de seize ans à l'hôtel de Rambouillet*. Invité à montrer ses talents oratoires, il éblouit ses auditeurs par ses dons étonnamment précoces. Ordonné prêtre en 1652 et archidiacre de Metz jusqu'en 1658, il devient évêque de Condom en 1669. C'est à partir de 1660 que sa prose, née de l'art oratoire et de

Hyacinthe Rigaud,
Jacques Bénigne Bossuet, 1702.
H/t 240 × 165.
Paris, Louvre.

« *On dit que Monsieur de Condom a fait un [livre de morale], qui dit que, pourvu qu'on croie les mystères, c'est assez, et improuve fort toutes nos chicanes sur le saint sacrement, qui ne font que des hérésies. On dit qu'il n'y a rien de plus beau.* »

Mme de Sévigné à Mme de Grignan, 13 septembre 1671.

sa vaste connaissance des textes classiques, trouve son équilibre, sa puissance et son lyrisme (*Sermon du Carême du Louvre*).

De 1667 à 1687, il prononce ses admirables *Oraisons funèbres*, imprimées sur l'insistance de ses admirateurs. À la prédication* s'ajoutent ses activités d'homme d'Église et ses fonctions de précepteur du dauphin. Son œuvre est d'une prodigieuse diversité, allant de l'histoire aux traités philosophiques, de la théologie aux écrits polémiques. Son *Discours sur l'histoire universelle* (1681) constitue en France la première philosophie de l'histoire. Dans l'*Histoire des variations de l'Église protestante* (1688), il entreprend une réfutation des positions théologiques de la Réforme (voir Religion). Il défendra jusqu'au bout les positions de l'Église gallicane contre de multiples auteurs et de nouveaux courants.

Redoutable, violent, mais toujours éloquent, le pamphlétaire se réveille parfois en lui comme dans les *Réflexions sur la comédie** (1694) ou dans le *Traité de la concupiscence* de la même année. Aujourd'hui encore, le nom de Bossuet est identifié à l'idée d'une éloquence parfaite. « Dans l'ordre des écrivains, écrira Valéry, je ne vois personne au-dessus de Bossuet ». JFG

■ Bretagne

La Bretagne était au XVIIe siècle une des provinces essentielles du royaume, regroupant un dixième de la population. C'est qu'elle comptait de nombreux ports importants comme Saint-Malo, Nantes, Lorient ou Brest, ayant chacun sa spécificité : commerce avec l'Extrême-Orient ou l'Amérique, guerre*, etc. Pourtant, la province pâtis-

A. Sandoz

sait d'une image négative : Quimper passait pour être le bout du monde et d'un accès impossible, à cause de routes* épouvantables ; ses paysans avaient la réputation d'être sales et ignorants ; même les particularismes de sa noblesse étaient souvent relevés et moqués dans les écrits du temps. Mme de Sévigné, par son mariage, était devenue Bretonne d'adoption. Ses préjugés de Parisienne lui firent souvent railler, lors de ses longs séjours aux Rochers, ses nouveaux compatriotes, mais elle apprit à aimer la campagne et la nature qui l'entouraient. Les Rochers devinrent vite pour elle un havre de paix ardemment souhaité, où elle venait goûter l'isolement qui lui permettait de penser, avec mélancolie et un peu de complaisance, à l'absence de sa fille. Les « belles allées » du bois qui

entoure le château éveillaient particulièrement en elle, ce mélange de ravissement et de tristesse qu'elle y venait chercher : « J'ai trouvé ces bois d'une beauté et d'une tristesse extraordinaires. [...] C'est ici une solitude faite exprès pour bien rêver », écrit-elle en septembre 1675. JMB

■ Bussy (Roger Rabutin, comte de)

Roger de Rabutin, comte de Bussy (1618-1693), cousin de Mme de Sévigné, était l'héritier d'une vieille famille bourgui-gnonne. Vaillant officier au cours des campagnes contre l'Espagne, il était aussi homme d'esprit et homme de lettres, et fut reçu à l'Académie française en 1665.

Sa carrière fut brisée par la divulgation d'un ouvrage qu'il avait écrit pour amuser sa maîtresse, Mme de Montglas, l'*Histoire amoureuse des Gaules* (1665). Les héros de ces historiettes, plus ou moins scandaleuses, transposées dans une époque mythique (voir Mythologie galante), sont affublés de noms fabuleux ; mais derrière

... vous savez bien que, depuis ma faute contre vous et votre amnistie, on ne peut être plus net que je l'ai été. Au reste, ma chère cousine, [...] si enfin vous me trouviez un peu fade, nous trouverons assez de gens qui méritent des coups de patte sans nous en donner l'un à l'autre. »

BUSSY-RABUTIN À MME DE SÉVIGNÉ, 23 FÉVRIER 1671.

les pseudonymes d'Ardélise, d'Angélie ou de Tyridate, chacun pouvait reconnaître la comtesse d'Olonne, la duchesse de Châtillon ou le Grand Condé*. On y trouve un portrait de Mme de Sévigné, sous le nom de *Mme de Cheneville*. Bussy y mêle compliments et pointes féroces – « cette belle n'est amie que jusqu'à la bourse » – qui blessèrent profondément sa cousine. L'ouvrage n'était pas destiné à la publication, mais des copies en circulèrent rapidement, et il parvint jusqu'au roi. Bien qu'il n'y fût pas personnellement attaqué, de nombreuses plaintes l'incitèrent à sévir.

La même année Bussy fut enfermé à la Bastille pour treize mois et n'en sortit que pour s'exiler en province, frappé d'une disgrâce qui allait durer jusqu'en 1682. Il consacra ses loisirs forcés à la rédaction de ses *Mémoires*, publiées après sa mort, et à mettre en ordre son abondante correspondance*, dont la publication, en 1697, permit pour la première fois au public de lire quelques lettres de sa cousine. JMB

■ Cabinet

Terrain d'expérimentation privilégié pour les artistes qui jouèrent de son exiguïté même pour offrir un résumé de leur savoir-faire, le cabinet fut aussi la pièce stratégique des romanciers et des dramaturges qui y plaçaient bien souvent la scène cruciale de leur intrigue. De fait le cabinet est la pièce par excellence qui révèle l'imaginaire de la société du XVIIe siècle, véritable écrin à la préciosité du Grand Siècle.

Les descriptions sont nombreuses qui parsèment les mémoires (par exemple celles de Tallemant des Réaux) et les romans* (*Clélie* de Mlle de Scudéry*, ou *La Princesse de Clèves* de Mme de La Fayette*) que quelques exemples encore visibles aujourd'hui viennent compléter : cabinets de Mme de La Meilleraye, de Colbert de Villacerf, cabinet des miroirs de l'hôtel Lauzun (voir Mlle de Montpensier)…

Lieu de réception ou de retraite, le cabinet s'orne de tous les raffinements imaginables : miroirs, étoffes, tables et coffrets précieux, tableaux et lambris dorés aux programmes iconographiques complexes, juste contrepoint aux conversations* précieuses* qui s'y déroulaient. Dans son *Épitre à Mlle de Vendy*, Boisrobert écrit :

« *On dirait que ces cabinets
Qu'on voit si polis et si nets,
Que ces miroirs, que ces peintures,
Ces alcôves et ces dorures
Ont pris leurs embellissements
De nos beaux faiseurs de romans
Et que c'est de la main des fées
Que les chambres sont étoffées.* »

Expression d'un art de vivre, qui évolua tout au long du siècle vers un goût plus affirmé pour la richesse, le cabinet constitue la pièce obligée de toute personne de qualité.

Sans avoir eu un cabinet digne de rivaliser avec ceux de Mmes de Rambouillet* ou du Plessis-Guénégaud, Mme de Sévigné disposait, au moins à Carnavalet*, d'une pièce mitoyenne à sa chambre où elle se plut à rassembler les portraits de sa fille et des siens. AFC

Château de Maisons-Laffitte, le cabinet des miroirs, v. 1660.

Le 13 septembre 1677, après plusieurs semaines d'hésitations, Mme de Sévigné louait l'hôtel Carnavalet. Depuis l'hôtel de la place Royale, où elle était née, elle avait déjà déménagé à six reprises sans jamais quitté le Marais*. Son enthousiasme pour Carnavalet fut grand : « C'est une affaire admirable : nous y tiendrons tous, et nous aurons le bel air. Comme on ne peut pas tout avoir, il faut se passer des parquets et des petites

« Nous déménageons, ma mignonne, et parce que mes gens feront mieux que moi, je les laisse tous ici, et me dérobe à cet embarras, et au sabbat inhumain de Mme Bernard, qui m'éveille dès six heures avec ses menuisiers : ces adieux consolent de la séparation. »

Mme de Sévigné à Mme de Grignan, 12 octobre 1677.

36

■ CARNAVALET

D'après Nicolas Raguenet,
L'Hôtel Carnavalet, v. 1740.
H/t 33 × 41.
Paris, Carnavalet.

mière pièce, au débouché de l'escalier dit Mansart, servait de salle commune aux deux femmes, celle du centre formait la chambre de Mme de Grignan*, et la troisième celle de Mme de Sévigné. Les bouleversements infligés à l'architecture par les divers occupants et l'aménagement du musée ne permettent pas de localiser le fameux « Grippeminaud » évoqué dans la correspondance*.

Durant l'été 1680, Mme de Sévigné confia à l'architecte Libéral Bruant le soin d'aménager un appartement au rez-de-chaussée du corps central pour sa fille. On peut l'imaginer à la toute dernière mode, mais les lettres n'en disent pas plus. L'inventaire dressé après le décès de la marquise permet, quant à lui, de connaître les meubles et les objets qui l'entourèrent à Paris. Trois tentures (une histoire de Noé, le mythe de Psyché, et une verdure) habillaient les murs ainsi que des cuirs dorés. Des tapis provenant de Turquie recouvraient les sols et les meubles en noyer. Le mobilier comprenait également un bureau Mazarin, un cabinet en ébène et plusieurs petites tables en bois de violette. De riches damas blancs garnis de bandes de tapisserie, avec franges et mollets de soie de couleurs, habillaient les lits et les sièges. À cela s'ajoutaient des objets plus personnels dont les portraits* de son entourage et en premier lieu ceux de sa fille. AFC

cheminées à la mode, mais nous aurons une belle cour, un beau jardin, un beau quartier… » Remanié dans les années 1650-1660 par François Mansart, l'hôtel formait un bel édifice dont témoignent encore aujourd'hui la façade sur rue et la cour d'honneur. Il offrait surtout à la marquise la possibilité de loger sa chère fille. La lettre du 12 octobre 1677, souvent citée, livre quelques informations sur la distribution des appartements. Mme de Sévigné et sa fille occupèrent l'étage noble, entre cour et jardin. La pre-

École française du XVIIᵉ siècle,
Christophe de Rabutin, baron de Chantal et sa femme.
Huile sur marbre, 90 × 68. Musée national du château de Versailles.

■ CHANTAL

Jeanne de Chantal, aïeule paternelle de Mme de Sévigné, fut béatifiée par l'église en 1751 puis canonisée en 1767. Fondatrice de l'ordre de la Visitation sur les conseils avisés de saint François de Sales, elle joua un rôle décisif dans le renouvellement religieux du Grand Siècle. Bien qu'elle ne fût guère présente aux côtés de sa petite-fille, orpheline dès l'âge de sept ans, elle n'avait pas pour autant abandonner les siens. Elle avait arrangé le mariage de son fils Celse-Bénigne, le père de Mme de Sévigné, avec Marie de Coulanges, riche parti, dont la dot permit d'assainir la situation financière du jeune baron de Chantal.

Les Chantal formaient la branche aînée des Rabutin, vieille famille bourguignonne remontant au XIIᵉ siècle. Au décès de son fils en 1627, Jeanne de Chantal n'avait pas hésité à confier aux Coulanges le tutorat de sa petite-fille, confiance qu'elle leur réitéra à la mort de sa belle-fille Marie de Coulanges. Elle avait ainsi choisi de ne pas déraciner sa petite-fille du milieu familial dans lequel elle avait évolué depuis sa naissance et qui lui permit de devenir la célèbre marquise de Sévigné.

L'enfance de Marie de Rabutin fut placée sous le signe de la jeunesse et de la joie. L'hôtel de la place Royale, où elle naquit le 5 février 1626, avait été édifié par son grand-père maternel, Philippe Iᵉʳ de Coulanges, et abritait toute la tribu familiale. Ses jeunes oncles et tantes la choyèrent et bien vite lui donnèrent quelques cousins et cousines, malicieux compagnons de jeux. À la mort des grands-parents maternels, son oncle Philippe II de Coulanges lui assura une éducation plutôt libérale, fondée sur la solidarité familiale, qui contribua à former son tempérament heureux et lui donna un grand sens du devoir. Toute sa vie, Mme de Sévigné resta fortement attachée à sa famille maternelle, entretenant une profonde amitié avec son cousin Philippe-Emmanuel de Coulanges, son cadet de quelques années, sa tante Henriette de la Trousse et son oncle Christophe de Coulanges, amicalement surnommé « le Bien Bon ». La seule attache qu'elle conserva avec sa famille paternelle fut la très grande complicité qu'elle entretint avec son cousin Roger de Bussy-Rabutin*, de la branche cadette. AFC

« *Je trouve fort plaisant, mon cousin, que ce soit précisément dans la chambre de notre petite sœur de Sainte-Marie que l'envie me prenne de vous écrire. Il semblerait quasi que notre amitié fût fondée sur la sainteté de notre grand-mère.* »

Mme de Sévigné à Bussy-Rabutin, 24 janvier 1672.

Colbert (Jean-Baptiste)

Né dans une famille qui comptait de nombreux financiers et marchands, Jean-Baptiste Colbert (1619-1683) acquiert en 1640 la charge de commissaire des Guerres*. Il constate alors l'efficacité des réformes mises en œuvre par Richelieu, qui demeurera son modèle. Ayant géré la fortune de Mazarin* pendant la Fronde*, il obtient la confiance de Louis XIV*.

■ COMÉDIE
Le parti de Molière

Au XVIIᵉ siècle, « comédie » désigne tous les genres du théâtre* – comédie, tragédie*, tragi-comédie, pastorale… – mais aussi le lieu où les pièces sont représentées : on va à la comédie. En ce qui concerne la comédie proprement dite, jusqu'aux années 1630, elle consiste principalement dans la farce. On y retrouve les éléments de la *Commedia dell'arte* introduite à Paris vers 1570 : improvisation, déguisements, gesticulations, etc.

La comédie est considérée comme un genre inférieur, qui repose essentiellement sur le jeu des comédiens et recourt à des moyens sommaires et souvent grossiers. Les auteurs dramatiques s'en désintéressent et le soin de faire rire est laissé aux « farceurs », comme Gros Guillaume, Gaultier Garguille ou Turlupin, les plus célèbres de la troupe des Comédiens du Roi (Corneille* y fait allusion dans *L'Illusion comique*). Les troupes ambulantes de comédiens italiens remportent beaucoup de

Nommé intendant des Finances, il étend progressivement ses pouvoirs en devenant surintendant des Bâtiments, Arts et Manufactures, puis Contrôleur général, Secrétaire à la Marine. En développant les manufac-

Claude Lefèvre, *Jean-Baptiste Colbert* (détail), 1666. H/t. Musée national du château de Versailles.

tures et surtout la marine, il stimule une économie qui repose sur l'exportation. L'aménagement des ports, des réseaux de communication (voir Routes), et la création de grandes compagnies (des Indes Orientales et Occidentales) font de la France une grande puissance commerciale et permettent de financer les guerres incessantes du royaume et les dépenses somptuaires de Versailles*. Les réformes de Colbert aboutissent à une extension de l'administration et à un centralisme qui marquera pour longtemps la France ; son goût d'une administration systématique s'exerça jusqu'au domaine des arts. Ses efforts pour limiter les dépenses de l'État furent de plus en plus désespérés et la confiance que lui accordait Louis XIV s'affaiblit, particulièrement dans sa rivalité avec Louvois qui, finalement, lui succéda. Mme de Sévigné le mentionne souvent, notamment à propos de ses démarches pour obtenir le règlement de la pension de sa fille. JFG

École française, fin du XVIᵉ siècle, *Acteurs de la Commedia dell'arte.* Paris, Carnavalet.

succès et une troupe italienne s'installe dans la salle du Petit Bourbon (qu'elle partage avec Molière* à partir de 1658). Rompant avec la farce et puisant son inspiration dans la pastorale, genre alors très prisé du public cultivé, Corneille invente avec *Mélite* (1633) un nouveau genre de comédie : la comédie sentimentale. Avec Corneille, puis Molière, la comédie devient un genre noble, apprécié des grands et de la Cour*. Dans la seconde moitié du siècle, le goût pour le merveilleux assure le succès des pièces « à machines » et surtout des comédies-ballets*. JL

« *Nous tâchons d'amuser notre cher Cardinal [de Retz].
Corneille lui a lu une comédie qui sera jouée dans quelque temps […].
Molière lui lira samedi* Tricotin, *qui est une fort plaisante pièce.* »

MME DE SÉVIGNÉ À MME DE GRIGNAN, 9 MARS 1672.

École française
du XVIIe siècle,
*Louis II de Bourbon,
prince de Condé*
(détail). H/t.
Musée national du
château de Versailles.

École française
du XVIIe siècle,
*Armand de Bourbon,
prince de Conti.*
Émail.
Chantilly,
musée Condé.

Vue des jardins
du château
de Chantilly.

Condé
(Louis II, prince de)

« Sans envie, sans fard, sans ostentation, toujours grand dans l'action et dans le repos, il parut à Chantilly comme à la tête de ses troupes. Qu'il embellît cette magnifique et délicieuse maison, ou bien […] qu'il fortifiât une place […] : c'était toujours le même homme et sa gloire le suivait partout. » Ces quelques lignes extraites de l'oraison funèbre prononcée par Bossuet* après la mort du prince de Condé, en 1686, résume à la fois l'activité de chef militaire et celle de mécène de celui qui fut, de l'avis même de Louis XIV*, le plus grand homme du royaume. Premier prince du sang, Louis II de Bourbon, prince de Condé, fut une personnalité hors du commun. Doué d'un grand génie militaire, Condé sauva plusieurs fois la France de la catastrophe, mais déçu dans ses attentes après ses brillantes victoires de Rocroi et de Nordlingen, il rejoindra la Fronde* des princes, dont La Rochefoucauld* était l'un des instigateurs, et passa même à l'Espagne en 1651. Quelques années plus tard, ayant reconnu ses erreurs, il reprit sa place auprès du roi. En 1667, Louis XIV lui confia le commandement de l'armée d'Allemagne. Victime de la goutte, Condé se retira du service en 1675 pour ne plus se consacrer qu'à son domaine de Chantilly. Le réaménagement intérieur fut confié à Mansart, tandis que le parc, objet de tous ses soins, fut l'œuvre de Le Nôtre. Par son mécénat Condé sut réunir autour de lui les plus brillants esprits du XVIIe siècle – Boileau*, Racine*, La Bruyère*… – et compta dans ses amitiés de jeunesse Mme de Sévigné. AFC

Conti (maison de)

Branche cadette de la maison de Condé*, la seconde maison de Conti, issue d'Armand de Bourbon prince de Conti (1629-1666), s'illustra au XVIIe siècle. Frère du Grand Condé et de la duchesse de Longueville, Armand fit partie de la jeunesse dorée des années 1640 que fréquenta Mme de Sévigné après son mariage. Il fut un des protagonistes de la Fronde* des princes et présida à Bordeaux le gouvernement insurrectionnel.

En 1653 il se rallia définitivement et épousa une nièce de Mazarin*. Leurs deux fils, Louis-Armand Ier de Bourbon (1661-1685) et François-Louis de Bourbon (1664-1709), furent successivement princes

de Conti. Mme de Sévigné ne manquait pas d'informer sa fille sur les faits et gestes des deux jeunes princes qui défrayèrent la chronique. Le premier participa contre le gré du roi à la guerre* des Turcs en Hongrie, ce qui lui valut d'être disgracié. Menant une vie dissolue, il mourut de la petite vérole. Le second, ardent et emporté, tint tête à Louis XIV* et fut exilé à Chantilly, où il fut accueilli par son oncle, le Grand Condé. Dans une lettre où elle décrit la mort de Condé, Mme de Sévigné relate comment celui-ci obtint sur son lit de mort le retour à la Cour* du prince de Conti.

Réconciliation apparente, car jamais le roi ne le félicita pour les victoires auxquelles il contribua durant la guerre de la ligue d'Augsbourg. En 1696, une partie de la noblesse polonaise le réclama comme roi ; Louis XIV le soutint sans enthousiasme et l'affaire tourna court. AFC

*« Quelle mort que celle de M. le prince de Conti !
Après avoir essuyé tous les périls infinis de la guerre […] et,
par une suite de pensées emmanchées à gauche, il joue le fou
et le débauché et meurt sans confession […]. »*

MME DE SÉVIGNÉ À MOULCEAU, 24 NOVEMBRE 1685.

■ CONVERSATION (ART DE LA)
« Elle parle juste, elle parle bien. » (Mlle de Scudéry)

Le goût de la conversation est sans doute l'un des traits les plus saillants de la société mondaine du XVIIe siècle. Sous l'influence des traités italiens comme le *Cortegiano* de Castiglione (traduit dès 1537) ou la *Civile conversatione* de Guazzo (traduit en 1579), de nombreux ouvrages paraissent qui s'efforcent de définir cet art de la conversation dont le moindre des paradoxes, comme le dira le chevalier de Méré, est qu'il consiste en un « je ne sais quoi » qui échappe le plus souvent aux règles.

Une conversation doit être libre, enjouée, naturelle, légère et plaisante ou, pour reprendre un terme qui, au XVIIe siècle, les résume tous, « honnête* ». Comme l'honnêteté, l'art de la conversation se développe dans les salons*, les femmes jouant un véritable rôle d'initiatrices en ce domaine. Tout le monde loue la conversation de Mme de Sablé, et Chapelain dira de l'hôtel de Rambouillet* : « On n'y parle pas savamment, mais on y parle raisonnablement, et il n'y a lieu au monde où il y ait plus de bon sens et moins de galanterie. » Dans la seconde partie du siècle, cet art de la conversation exerce une influence profonde sur la littérature. Entretiens, maximes, portraits, caractères, mémoires, correspondances*, toutes ces formes littéraires propres à l'âge classique, obéissent au modèle de la conversation, s'efforçant de transmettre à l'écriture les accents et les nuances de la parole. Mlle de Scudéry* dira à propos de Mme de Sévigné : « Sa conversation est aisée, divertissante et naturelle ; elle parle juste, elle parle bien. » JL

■ Corneille (Pierre)

Lorsqu'en septembre 1637, la duchesse de Chevreuse, compromise dans un complot, fuit vers l'Espagne à cheval, déguisée en homme, elle élude les questions de son guide en débitant des tirades entières du *Cid*… Mme de Sévigné se dit « folle » de Corneille, Mme de La Fayette* le trouve inimitable, toutes les femmes l'adorent et le défendront jusqu'au bout, même quand le public sera devenu indifférent ou hostile. Pierre Corneille (1606-1684) fit jouer sa première comédie*, *Mélite*, en 1629. En quelques jours, le nom de ce jeune Normand, jusque-là inconnu, est sur toutes les lèvres ; on se précipite pour voir cette œuvre qui ne ressemblait à rien de ce que l'on avait vu auparavant. En 1637, l'immense succès du *Cid* constitue un événement sans précédent dans la vie théâ-

Nicolas Arnoult, *Le Caquet des femmes* (détail). Gravure, fin du XVIIe siècle. Paris, bibliothèque des Arts décoratifs.

Le Menteur, de Pierre Corneille, joué à Rouen par la troupe de Molière. Gravure. Le Petit-Couronne, manoir Pierre Corneille.

trale française. La pièce est jouée l'année même à Londres et sera traduite du vivant de Corneille dans toutes les langues connues « sauf l'esclavone et la turque ». Les années suivantes, se succèdent les tragédies* politiques : *Horace, Cinna, Polyeucte, Pompée, Rodogune*, etc. L'échec de *Pertharite* (1651-1652) éloignera Corneille du théâtre* pendant sept ans. Ses dernières pièces ne lui permettront pas de regagner la faveur du public qui lui préfère désormais le jeune Racine*. Il abandonne définitivement la scène en 1674, après le demi-succès de *Suréna*.

Mais Corneille n'est pas seulement un immense auteur dramatique. Les *Examens*, dont il a accompagné ses pièces, et ses trois *Discours sur le poème dramatique* (1660) en font aussi l'un des plus grands théoriciens du théâtre. JL

■ CORRESPONDANCE

En un temps où les nouvelles circulaient plus lentement et plus difficilement qu'aujourd'hui et où les journaux (voir Presse) en étaient encore à leurs balbutiements, c'était un des rôles assignés aux correspondances entre particuliers que d'informer de l'actualité. Aussi est-il fréquent de trouver dans toutes celles de l'Ancien Régime, outre des nouvelles d'ordre privé, des informations sur les événements, sur ce qui occupe les esprits à la ville ou à la Cour*. Les correspondances conservées sont donc une précieuse source de renseignements pour les historiens. Les lettres de Mme de Sévigné sont à cet égard exemplaires, et furent reconnues comme telles dès leur première édition* (1725), qui annonce en page de titre qu'elles « contiennent beaucoup de particularités de l'histoire de Louis XIV* ».

Mais à côté de cette fonction, les lettres forment aussi un genre littéraire, qui se développa dans la première moitié du XVIIe siècle. Au même titre qu'un madrigal ou un sonnet, une lettre pouvait être lue publiquement et recevoir commentaires et critiques. Guez de Balzac (1594-1654) fut le premier à publier des *Lettres* (1623) : elles lui valurent un succès immédiat, et servirent d'exemple à beaucoup d'autres. Les lettres de Vincent Voiture (1597-1648), moins emphatiques et plus enjouées, firent les délices des cénacles à la mode. Publiées après sa mort, elles devinrent, elles aussi, des modèles admirés et imités. Ces deux illustres précurseurs incitèrent nombre d'écrivains à préparer une publication posthume de leur correspondance, soigneusement corrigée et retouchée pour se rapprocher d'un idéal formel préétabli ; Bussy fut l'un d'entre eux. Paradoxalement, les lettres de Mme de Sévigné, écrites pour un unique lecteur ou un cercle restreint d'intimes, et sans aucune arrière-pensée de publication, et pour ces raisons, sans aucune afféterie ni prétention littéraire, furent considérées dès leur première édition comme « un modèle, et peut-être ce qu'il y a de plus parfait en ce genre » (*Mercure galant*, mai 1726), jugement ratifié par la postérité (voir Fortune critique). JMB

Lettre de Mme de Sévigné
à Mme de Grignan.
Paris, Carnavalet.

Mme de Sévigné.
Gravure du XIXe siècle.

« *Adieu, je sens que l'envie de causer me prend.*
Je ne veux pas m'y abandonner ;
il faut que le style des relations soit court. »

Mme de Sévigné à Pomponne, 17 novembre 1664.

■ COUR (LA)
Y être ou ne pas y être

La cour de Versailles* a été formée dans une intention politique assez explicite. Se souvenant des troubles de la Fronde*, Louis XIV* voulut soumettre la noblesse à une institution aussi originale que rigoureuse. En obligeant tous les nobles à lui être présentés et à participer à un cérémonial quotidien, le roi interdit toute possibilité de rébellion, de complot ou d'opposition à l'État. Les princes de sang et les grands de France se voient réduits à une existence de courtisan, toujours à la disposition du monarque.

Composée de quelque deux mille personnes, la Cour doit inventer de nouvelles formes de sociabilité, très largement dominées par le souci du paraître et d'entretenir ce qu'on nomme le « bon air de la Cour ». D'où l'importance de la mode*, des plaisirs de la conversation*, des fêtes éclatantes et des jeux de toutes sortes, souvent dispendieux.

Vivre à la Cour, c'est vivre en représentation sous le regard du roi et des autres. C'est également dépendre étroitement de la volonté du monarque qui dispense les pensions et les dots permettant de tenir son rang dans ce microcosme qui exige un train de vie élevé. Le roi eut toujours le souci de s'informer de la présence des grands à la Cour.

Être absent, cela signifiait être retiré dans le « désert » (la province), voire ne plus exister. Comme le prince de Conti*, qui préférait Chantilly, Mme de Sévigné vécut retirée dans son domaine des Rochers, en Bretagne*, ou à l'hôtel Carnavalet*, à partir de 1677. Elle n'en participa pas moins aux fêtes de Versailles en 1668. JFG

■ Courriers et messageries

Le 12 juillet 1671, Mme de Sévigné écrit à sa fille : « Ces messieurs les postillons [...] sont incessamment sur les chemins pour porter et reporter nos lettres. Enfin, il n'y a jour dans la semaine qu'ils n'en portent quelque une à vous et à moi ; il y en a toujours et à toutes les heures par la campagne. Les honnêtes gens ! qu'ils sont obligeants ! et que c'est une belle invention que la poste. » Ces indications de Mme de Sévigné montrent que les messageries, qui couvrent alors tout l'espace du royaume, sont déjà remarquablement organisées. Dans la France du XVIIe siècle, le nombre croissant d'épistoliers exige un service capable de transmettre rapide-

Carte des routes de poste, 1676. Paris, musée de la Poste.

« ... le Roi a la bonté de permettre qu'on porte ses beaux habits à Versailles. La plus incroyable chose du monde, c'est la dépense que font ces dames, sans avoir le premier sou, hormis celles à qui le Roi les donne. »

MME DE SÉVIGNÉ À MME DE GRIGNAN, 21 OCTOBRE 1676.

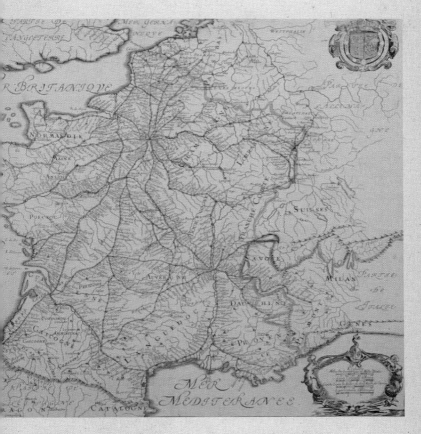

ment le courrier. Les rois possèdent depuis Louis XI leur propre office de postes ; dès le XVIe siècle, ce service royal est mis à la disposition du public. Encore faut-il noter que la circulation du courrier suppose une organisation d'autant plus rigoureuse que les distances sont grandes, que les relais de chevaux sont souvent coûteux, et que la rapidité de la transmission est toute relative. Les « courriers de cabinet », qui acheminent la correspondance du roi et de ses ministres, ont un statut particulier. Les maîtres des postes se chargent des missives courantes et de celles du public. Bien qu'elles aient été d'abord privées, les messageries sont progressivement rattachées aux postes royales. Seuls les fermiers et les commis, à l'exclusion des muletiers et rouliers, ont le droit de transporter des lettres et des métaux précieux. Ce qui leur permet de bénéficier de nombreux privilèges (ils sont par exemple exemptés de l'obligation d'héberger des hommes de guerre* en période de campagne).

Comme dans d'autres domaines, la caractéristique majeure de l'organisation des messageries et des postes dans la seconde moitié du XVIIe siècle est d'être toujours plus centralisée, relevant de la seule administration royale. JFG

Double page suivante :
École française du XVIIe siècle, *Louis XIV suivi du Grand Dauphin passant à cheval devant la grotte de Thétys à Versailles.* H/t 96 × 96. Musée national du château de Versailles.

D'après
Frans Hals,
René Descartes
(détail), v. 1649.
Paris, Louvre.

Descartes (René)

Après des études au collège jésuite de La Flèche, René Descartes (1596-1650) part servir en Hollande sous les ordres de Maurice de Nassau, prince d'Orange. Il voyage en Europe, séjourne quelques années à Paris et s'installe en Hollande en 1628. Apprenant en 1633 la condamnation de Galilée, il renonce à publier son *Traité du Monde* qu'il venait d'achever. En 1637, il publie trois petits traités : la *Dioptrique*, les *Météores* et la *Géométrie*, précédés du *Discours de la méthode*, texte fondateur de la philosophie moderne, qui affirme le primat de la conscience et d'une rationalité construite sur le modèle des mathématiques.

C'est à partir des *Méditations* (1641) que la philosophie de Descartes commence à se propager et à susciter de vives oppositions. Il est accusé d'athéisme, menacé de poursuites. Mais sa renommée ne cesse de s'étendre. Il est en relation avec les savants de toute l'Europe, entretient une correspondance* suivie avec Christine de Suède et Elisabeth de Bohème, à laquelle il dédie ses *Principes de la philosophie* (1644) et qui l'incitera à écrire son *Traité des Passions*. Invité par la reine Christine, il se rend en 1649 à Stockholm, où il mourra quelques mois plus tard. Dans la seconde moitié du siècle, la philosophie de Descartes exerce partout son influence. Elle pénètre les cercles mondains, imprégnant aussi bien les comportements, les goûts, que les modes de penser. Cette philosophie, qui s'adresse à l'« honnête* homme » et non plus aux doctes (le *Discours de la méthode* fut écrit en français, ce qui était une nouveauté), devient le signe de ralliement des « modernes » qui ne jurent que par la raison. Les proches de Mme de Sévigné, Corbinelli, le cardinal de Retz* et, surtout, Mme de Grignan* sont cartésiens. JL

Dettes

L'accroissement des dépenses somptuaires et le train de vie des grands obligent maints particuliers à s'endetter. Le goût du faste à la Cour* et à Paris, la passion de l'apparence, qui entraînent de multiples dépenses en habits nouveaux, en carrosses, en réceptions et œuvres d'art, la prodigalité dont le roi donne l'exemple, tout contribue dans cette société à un endettement en quelque sorte chronique. Or, le crédit est presque inexistant. Il est du reste considéré avec la plus grande méfiance, non sans quelques préjugés, dans un pays où le système bancaire est trop peu développé. D'où une contradiction constante entre

« *Mon Dieu, que votre état est violent ! qu'il est pressent ! et que j'y entre toute entière avec une véritable douleur ! Mais, ma fille, que les souhaits sont faibles et fades dans de pareilles occasions ! et qu'il est inutile de vous dire que si j'avais encore, comme j'ai eu, quelque somme portative qui dépendît de moi, elle serait bientôt à vous !* »

Mme de Sévigné à Mme de Grignan, 22 janvier 1690.

l'abondance des dettes des particuliers et la réticence générale à favoriser le crédit. Cet amour de la dépense et cette horreur si répandue du crédit, que rappelle maintes fois Furetière, font naître des situations souvent embarrassantes, parfois pénibles, voire sordides. Épouse d'Henri de Sévigné*, qui était fort dépensier, et, plus tard, mère d'une fille parfois prodigue, Mme de Sévigné connut l'angoisse des dettes. JFG

■ Dévots

Il convient de distinguer l'activité des dévots et le parti des dévots. La dévotion ne se conforme pas seulement aux pratiques religieuses exigées ; elle témoigne d'une vie spirituelle qui se manifeste par les activités quotidiennes et d'ordre privé. Le parti des dévots, en revanche, n'a cessé d'exercer une activité politique (opposition à Richelieu, conjuration de Cinq-Mars, etc.) jusqu'à ce qu'il se constitue, à la fin du siècle, en petits groupes, en diverses « cabales » où se rencontrent Fénelon, Villeroy et surtout Mme de Maintenon*, seconde épouse du roi. S'inspirant de ces milieux dévots qui étaient ceux de la noblesse de robe et de la bourgeoise parlementaire, saint François de Sales avait écrit en 1609 son *Introduction à la vie dévote*, qui fut l'un des livres les plus lus au XVIIᵉ siècle et n'a cessé depuis d'être réédité. Si la vie du dévot tend à la perfection de la sainteté, elle s'enracine dans un réseau de relations sociales et mondaines qui assurent la diffusion des conceptions religieuses. C'est ainsi, par exemple, que se répandirent les grands courants de la mystique espagnole en France et qu'une partie de la haute société fut réceptive à la doctrine du « pur amour » de Mme Guyon, qu'on tenta injus-

Guido Reni (1573-1642), *Ecce Homo*, (détail). H/t. Paris, Louvre.

tement de confondre avec le quiétisme. Le mot « dévot » recouvre une pluralité de doctrines, d'attitudes religieuses et parfois politiques d'une extrême complexité. Les formes de spiritualité qui s'expriment dans la dévotion ne sont pas réductibles aux seuls écrits théoriques mais renvoient aussi à des expériences singulières et à une sensibilité spécifique. JFG

« *Vous me demandez si je suis dévote, ma bonne ; hélas ! non, dont je suis très fâchée, mais il me semble que je me détache un peu de ce qui s'appelle le monde. La vieillesse et un peu de maladie donnent le temps de faire de grandes réflexions. Mais, ma chère bonne, ce que j'épargne sur le public, il me semble que je vous le redonne ; ainsi je n'avance guère dans le pays du détachement [...].* »

Mme de Sévigné à Mme de Grignan, 8 juin 1676.

■ ÉDITIONS (MANUSCRITS ET)
Sévigné édulcorée, Sévigné restituée

Mme de Sévigné est sans doute le cas le plus paradoxal de la littérature française. D'abord, parce qu'écrivant à l'usage exclusif de ses correspondants, ou de leurs proches, elle ne pouvait imaginer qu'elle serait un jour éditée, considérée comme un écrivain et étudiée comme un auteur classique. Ensuite parce que ses lettres – au moins les plus célèbres, celles à Mme de Grignan* – n'offrent aux lecteurs qu'un texte irrémédiablement altéré. À cela deux raisons : d'une part, les scrupules de Mme de Simiane, sa petite-fille, à laisser publier des textes dont certains passages pouvaient blesser des personnes encore vivantes ; d'autre part, les suppressions par les premiers éditeurs de tournures considérées comme incorrectes ou de passages jugés sans intérêt. On doit à ces deux motifs les coupures ou les altérations de mots, de phrases, de paragraphes entiers parfois, aussi bien dans les éditions subreptices de Troyes (1725), de Rouen (1726), de La Haye (1726), que dans les deux éditions autorisées, dues à Perrin (1734 et 1754). Cela aurait pu être réparé, si Mme de Simiane n'avait impitoyablement détruit les originaux, empêchant à tout jamais de restituer le texte tel que l'avait écrit Mme de Sévigné. Les éditeurs du XIXe siècle, et particulièrement Monmerqué, tentèrent, en l'absence des autographes, de restituer les textes en comparant les différentes éditions du XVIIIe siècle. La découverte de plusieurs copies manuscrites, beaucoup plus fidèles aux originaux que ce qu'on connaissait jusque-là, permit, dans une certaine mesure, de pallier à la disparition des autographes. La seconde et monumentale édition Monmerqué, celle des *Grands Écrivains de la France* (1862), fit son profit de la divulgation en 1820 du manuscrit dit *de Grosbois*. Les *Lettres inédites*, publiées en 1876 par Capmas, portèrent à la connaissance du public ce que contenait de nouveau la copie qu'il avait trouvée en 1873. Mais il fallut attendre le XXe siècle et « La Pléiade » pour que ces nouveautés soient intégrées dans une édition complète. JMB

LETTRES
CHOISIES
DE MADAME LA MARQUISE
DE SEVIGNÉ
A MADAME
DE GRIGNAN
SA FILLE.
Qui contiennent beaucoup de particularitez de l'Histoire de Loüis XIV.

M. DCC. XXV.

Favorites royales

L'avènement d'une nouvelle maîtresse royale, à cause du crédit qu'on lui supposait auprès du souverain, était toujours suivi avec attention par les courtisans qui pouvaient espérer obtenir, par son entremise, quelque faveur ou quelque profit. Aussi ne faut-il pas s'étonner de voir longuement commenter le moindre indice d'une passion naissante ou d'une disgrâce prochaine dans les écrits du temps et, notamment, dans les lettres de Mme de Sévigné. Les amours de Louis XIV* se prêtaient particulièrement aux commentaires

par leur nombre et leur simultanéité. Le roi, en effet, mena fréquemment plusieurs liaisons de front – tout en continuant d'honorer la reine. En plus des favorites établies et reconnues, comme Mlle de La Vallière* ou Mme de Montespan*, il eut des engouements plus éphémères, pour Mlle de Fontanges, Mme de Ludres, Mme des Œillets, ou la princesse de Soubise…

Après 1680 et la disgrâce de Mme de Montespan, le roi, assagi, reporta son inclination sur la seule Mme de Maintenon*, qu'il finit par épouser après la mort de la reine, en 1683. Conscient dans sa vieillesse que sa vie sentimentale avait été peu édifiante, il recommanda à son petit-fils, devenu roi d'Espagne, de n'avoir « jamais d'attachement pour personne ». Il faut reconnaître pourtant qu'aucune de ses maîtresses, pas même Mme de Maintenon, ne joua de rôle politique comparable à celui qu'avait eu une Gabrielle d'Estrées sous Henri IV. Néanmoins la légitimation, et plus encore la successibilité à la couronne de certains des nombreux bâtards du roi – quinze sont connus – souleva l'indignation de bon nombre de courtisans. JMB

■ Fortune critique

Lorsqu'il conçut, entre 1708 et 1718, son groupe du *Parnasse français*, Titon du Tillet regroupa autour de Louis XIV*-Apollon les gloires les plus représentatives de son règne, parmi lesquelles on reconnaît, sans surprise, Corneille*, Molière*, Racine*, Lully (voir Musique), La Fontaine* et Boileau* ; et pour les femmes, Mme de la Suze, Mme des Houlières et Mlle de Scudéry*. Mme de Sévigné n'y figure évidemment pas. Elle n'était encore, dix ou quinze ans après sa mort, et seulement pour son entourage, que la personne charmante et cultivée décrite par Saint-Simon : « Cette femme, par son aisance, ses grâces naturelles, la douceur de son esprit, en donnait par sa conversation* à qui n'en avait pas, extrêmement bonne d'ailleurs, et savait extrêmement de toutes sortes de choses, sans vouloir jamais paraître savoir rien. » À la fin du siècle, dans le recueil des *Illustres Français*, gravé par Nicolas Ponce, elle occupe la place d'honneur dans une planche où figurent également Marguerite de Navarre, Mlle de Scudéry, Mmes Dacier, de La Fayette* et de La Suze. Dans l'intervalle, elle était pas-

sée du statut de femme du monde à celui d'écrivain, et même de gloire nationale, « la première personne de son siècle pour le style épistolaire », comme le dit Voltaire, connue de tous grâce aux incessantes éditions* des *Lettres*, à partir de 1725. Dès lors, elle suscita de véritables passions ; l'une des plus célèbres fut celle de l'écrivain anglais Horace Walpole, ami de Mme du Deffand, qui recherchait avec ardeur autographes et souvenirs de son idole. La réforme de l'enseignement sous l'Empire, en imposant pour la première fois une « liste nationale et obligatoire d'auteurs français », fit de la marquise un auteur classique. Mme de Sévigné, désormais étudiée, peu ou prou, par tous les écoliers de France, allait pouvoir entrer dans l'imaginaire national et devenir une référence obligée. Proust, par exemple, fait de constantes références à ses lettres, lui donnant le statut d'un véritable maître à penser. JMB

■ Fouquet (Nicolas)

Issu d'une famille angevine dont l'ascension avait débuté au XVIᵉ siècle, Nicolas Fouquet (1615-1680) commença sa carrière sous Richelieu comme conseiller au parlement de Metz, où il fit ses armes. À l'âge de vingt ans, il devint maître des Requêtes et à la mort du cardinal passa au service de Mazarin*. En 1650, il acheta la charge de Procureur général au Parlement de Paris et en 1653 fut nommé surintendant des Finances, charge qu'il partagea avec Servien*. Alors au faîte de

sa gloire, il fut arrêté le 5 septembre 1661 sur ordre du roi. Financier virtuose, habile politique* et séducteur efficace, Fouquet avait su gagner la confiance des financiers qui lui avaient accordé prêts et engagements, assurant ainsi la suprématie de la France sur l'Espagne, mais sa réussite et son prestige agaçaient. Il fut également victime de l'ascension de

Colbert*, qui, lui, avait su discerner les perspectives nouvelles qui s'ouvraient avec la prise du pouvoir personnel du roi. Quant à Louis XIV*, il entendait désormais gouverner seul, bâtir un État moderne avec des hommes dépendant entièrement de lui. L'arrestation de son surintendant constitua la première grande affaire de son règne et fut une action d'éclat destinée à asseoir davantage son pouvoir. Tout d'abord conduit à la Bastille par d'Artagnan, Fouquet fut jugé et condamné trois ans plus tard au bannissement per-

Édouard Lacretelle, d'après Robert Nanteuil, *Nicolas Fouquet*. H/t 65 × 54. Musée national du château de Versailles.

pétuel, décision que le roi commua en prison à vie. Le surintendant fut alors enfermé dans la forteresse de Pignerol, et y mourut en 1680.

Parmi les nombreux témoignages du procès de Fouquet, celui de Mme de Sévigné est particulièrement intéressant. Sans pour autant faire partie de sa « clientèle », elle était devenue l'amie du surintendant dont elle appréciait l'esprit, après avoir résisté à une cour assidue. Sa relation faite au jour le jour dans une série de lettres adressées à Simon Arnauld de Pomponne*, est écrite d'une plume alerte où perce son admiration pour l'éloquence de l'accusé mais aussi son inquiétude sur l'issue du procès. Les splendeurs du château de Vaux* témoignent encore du fastueux mécène que fut Fouquet : l'ombrage qu'en conçut le roi, lors de la somptueuse fête qui lui fut offerte en août 1661, contribua à la perte du surintendant. AFC

■ FRONDE (LA)

Un vent de Fronde
S'est levé ce matin ;
Je crois qu'il gronde
Contre le Mazarin.

Le terme de « Fronde » fut très vite adopté par les libellistes et les rimailleurs pour souligner le caractère du conflit qui, à ses débuts, opposait les parlementaires et le gouvernement, et fut la plus grave crise intérieure qu'ait connue la France au XVIIe siècle.

Ce furent cinq années de guerres* civiles exprimant une réaction hostile au gouvernement mis en place par Richelieu, puis aux progrès de l'absolutisme sous Mazarin*. Sous un schéma simple se dissimulent en réalité des enjeux complexes, reflétant davantage des rivalités de classe que des débats idéologiques. Plusieurs grands noms apparaissent : Condé*, Retz*, Conti*, La Rochefoucauld*, Longueville, Séguier*, entraînant dans leur sillage toute une mouvance – Mme de Sévigné prit parti pour le cardinal de Retz – favorisant les renversements d'alliance ; l'ensemble était habilement orchestré par Mazarin, opposant les factions rivales.

On a coutume de distinguer la Fronde parlementaire (1648-1649) de la Fronde des princes (1650-1653). La première réclamait la limitation de l'arbitraire royal et se solda par le blocus de Paris (janvier-mars 1649), mené par le Grand Condé, et par une paix de compromis signée à Rueil le 1er avril. La seconde vit tour à tour les princes et Mazarin, emprisonnés ou exilés, ce dernier continuant malgré son éloignement à tirer les ficelles. La majorité du roi, le 7 septembre 1651, les difficultés économiques engendrées par le conflit et le manque d'objectifs définis par les frondeurs eurent raison de la crise. L'échec de la Fronde assura le triomphe de l'absolutisme monarchique et l'abaissement des grands. Mazarin avait ainsi préparé et permis l'éclat du règne personnel de Louis XIV*. AFC

Gilles Guérin,
Louis XIV terrassant la Fronde, 1654.
Bronze,
53 × 33 × 18.
Paris, Carnavalet.

Atelier de Nicolas de Largillierre, *François Adhémar de Monteil, comte de Grignan* (détail). Paris, Carnavalet.

Attribué à Pierre Mignard (1612-1695), *Françoise de Sévigné, comtesse de Grignan.* H/t 92 × 73. Paris, Carnavalet.

■ Grignan (comte de)

Françoise-Marguerite de Sévigné épousa en 1669 François Adhémar de Monteil, comte de Grignan (1632-1714), homme de belle taille mais sans beauté. Celui-ci avait deux filles d'une première femme, Angélique-Clarisse d'Angennes, fille de la célèbre marquise de Rambouillet*, et venait de perdre sa seconde compagne, Marie-Angélique du Puy-du-Fou, décédée en 1667. Issu d'une famille provençale, il fut de 1669 à sa mort lieutenant général en Provence, remplaçant de fait le gouverneur en titre, Louis-Joseph de Vendôme, qui ne résidait pas dans le comté. En épousant François Adhémar, Françoise-Marguerite épousa du même coup la cause des Grignan. Au grand désespoir de sa mère, elle ne voulut pas se dérober à ses devoirs

*« Je regarde tous ces lieux,
où je passai il y a quinze mois avec
un fond de joie si véritable,
et je considère avec quels sentiments
j'y repasse maintenant ;
et j'admire ce que c'est
que d'aimer quelque chose
comme je vous aime. »*

Mme de Sévigné à Mme de Grignan, 30 octobre 1673.

d'épouse et rejoignit son mari en Provence, ce qui nous vaut une admirable correspondance*, véritable chronique de l'époque mais aussi témoignage émouvant d'une relation mère-fille très intense. Mme de Grignan* seconda son époux avec zèle et conviction, l'accompagnant lors de la session annuelle de l'assemblée des communautés en Provence, tentant de résoudre les difficultés financières tout en maintenant intacte la grandeur du nom. Grignan fut fort apprécié par le roi, qui le fit chevalier de l'ordre du Saint-Esprit en 1688. Par son habileté il avait su défendre les intérêts de son souverain tout en « ménageant un peu les cœurs des Provençaux » selon le conseil donné par Mme de Sévigné, qui par ailleurs n'hésitait pas à prendre la plume à l'encontre de son gendre. AFC

■ Grignan (Madame de)

Née le 10 octobre 1646 à Paris, rue des Lions, elle avait hérité de ses parents la grâce et la beauté de ses traits. Veuve, Mme de Sévigné ne négligea aucun moyen pour introduire sa fille à la Cour* afin de lui assurer une position. Ses vœux furent comblés : Françoise-Marguerite y connut trois années de gloire, de 1663 à 1665, figurant dans toutes les fêtes que le jeune Louis XIV* multipliait au début de son règne. Dans la *Muze historique* du 16 février 1664, Loret écrit :

J'ai pensé faire une folie,
En oubliant cette jolie,
Cette pucelle SEVIGNY
Objet de mérite infiny ;
Certes, moy qui l'ay deux fois vû
De divins agrémens pourvue
Et d'une très rare beauté

Adam Frans Van der Meulen (1632-1690), *Le Passage du Rhin le 12 juin 1672*. H/t 49 × 111. Musée national du château de Versailles.

Aux Balets de sa Majesté,
Si quelqu'un s'en venoit me dire,
Et fût-ce le ROY nôtre SIRE,
As-tu rien vû de plus mignon ?
Je dirois hardiment que non.

Bel hommage, qui ne fut pas le seul de ceux que suscita Françoise-Marguerite de Sévigné. Bien plus, le rapprochement de la jeune fille et du roi dans ces vers n'était pas fortuit. Loret, à l'affût de toutes les nouvelles, ne pouvait pas ignorer l'intérêt du roi pour la belle. Or celle-ci repoussa ses avances, jouant l'insensible sur les conseils de sa mère. La Fontaine* en témoi-

gna en dédiant à Mlle de Sévigné la première fable de son livre IV, *Le Lion amoureux*, allusion à peine déguisée à la déconvenue du souverain. Son dédain fut sans doute la raison principale de sa précoce disgrâce, que l'emprisonnement de son cousin Bussy aggrava. Après 1665, Françoise-Marguerite ne dansa plus avec le roi, laissant triompher sans rivale Mme de Montespan*. Par son indifférence aux hommages, elle rebuta plus d'un soupirant, et ce n'est qu'en 1669 qu'elle épousa le comte de Grignan*, à qui elle donna six enfants, dont quatre vécurent : Marie-Blanche (1670-1731), Louis-Provence (1671-1704), Pauline (1674-1737) et Jean-Baptiste (1676-1677). Mme de Grignan décida de vivre aux côtés de son mari au château des Grignan, en Provence, ce qui fut pour sa mère une véritable épreuve, mais aussi le prétexte de la plus célèbre correspondance* jamais écrite. AFC

l'épreuve les ressources financières et politiques* des États et la faculté d'organisation des gouvernants. Si Louis XIV* en sortit victorieux, ce fut grâce à des généraux de génie tels Condé*, Turenne*, Luxembourg, et à un ingénieur de talent, Vauban, qui sut combiner les tactiques de sièges et de mouvements armés. Les conflits se doublèrent d'enjeux économiques qui firent pour la première fois l'objet de stipulations importantes dans les différents traités de paix (Ryswick et plus tard Utrecht).

■ Guerres

Elles furent nombreuses au XVIIe siècle : guerre de Trente ans (1618-1648), guerre de Hollande (1672-1679) et guerre de la ligue d'Augsbourg (1688-1697) aboutissant à la création, au sein de la monarchie absolue, d'une société militaire hiérarchisée et étroitement contrôlée par le pouvoir royal. Guerres sur mer, sur terre, urbaines pendant la Fronde*, toutes mirent à

Mme de Sévigné s'engagea dans le conflit de la Fronde, mais le peu de lettres de cette époque n'apporte aucun renseignement. En revanche, sa relation sur les guerres de Louis XIV constitue un témoignage de dimension humaine. C'est la mère qui écrit alors, ou la grand-mère lorsque Louis-Provence sert dans l'armée de Monseigneur, partageant l'inquiétude de toutes celles qui avaient un des leurs sur un champ de bataille. « Je n'avais jamais tant pris d'intérêt à la guerre, je l'avoue, mais la raison n'en est pas difficile à trouver », écrit-elle à Bussy en juillet 1672, peu de temps avant le célèbre passage du Rhin. AFC

Guitaut (Guillaume, comte de)

« En vérité, vous êtes un des hommes du monde qui me convient le plus. Madame, voulez-vous bien que je le dise, et que j'avoue, comme il le disait l'autre jour, que c'est un grand bonheur, ou un grand malheur, que nous ne nous soyons pas rencontrés plus tôt ? » C'est en ces termes que Mme de Sévigné s'adresse à Guillaume de Pechpeyrou-Commings, comte de Guitaut (1626-1685), et à son épouse, dans une lettre datée du 24 octobre 1679. Ceux-ci étaient ses voisins à Paris, lorsqu'elle habitait rue de Thorigny, et en Bourgogne où leurs terres se jouxtaient. Au fil des années ils développèrent une véritable amitié, entretenue par une correspondance* abondante.

Guitaut, gouverneur des îles de Lérins, n'était pas souvent à Paris ni en Bourgogne, aussi Mme de Sévigné ne manquait-elle pas de le tenir au courant des « potins » de la Cour* et de la capitale. Elle appréciait en lui l'homme cultivé et le tour admirable de ses lettres. Si sa préférence allait au mari, Mme de Sévigné estimait aussi Élisabeth-Antoinette de

École française du XVIIᵉ siècle, *Guillaume de Pechpeyrou-Commings, comte de Guitaut* H/t 72 × 50. Association du château d'Époisses.

École française du XVIIᵉ siècle, *Mme de Sévigné*. H/t 81 × 65. Musée national du château de Versailles.

Verthamon, comtesse de Guitaut, à qui elle trouvait de l'esprit. Après la mort du comte, en décembre 1685, elle poursuivit un commerce épistolaire régulier avec elle, lui confiant en outre le règlement de ses intérêts en Bourgogne. AFC

Hacqueville (Monsieur d')

L'un des plus fidèles amis de Mme de Sévigné fut Monsieur d'Hacqueville, abbé et conseiller du roi. Condisciple au collège du futur cardinal de Retz*, il avait renoué avec lui vers 1650 et s'était engagé à ses côtés dans les intrigues de la Fronde*. Ce fut à cette occasion que Mme de Sévigné fit sa connaissance et conserva pour lui une amitié sans faille. Il lui fut toujours très cher, comme le confident le plus attentif et le plus indulgent de sa passion maternelle, comme celui qui entrait le mieux dans ses sentiments et dans ses peines et qui ne ménageait pas ses soins pour glaner partout où il le pouvait des nouvelles de la comtesse de Grignan*. Parmi les nombreux services qu'il rendit à la marquise, d'Hacqueville fut au cœur de la négociation pour louer l'hôtel Carnavalet*. Ce ne fut pas, certes, le plus éloquent ni le plus amusant des correspondants de Mme de Sévigné, mais elle avait su déceler sa tendresse et sa sensibilité cachées derrière la droiture de sa raison et la dureté de son esprit. Il mourut le 31 juillet 1678. AFC

« … d'Hacqueville ne laisse rien à désirer.
Je n'ai jamais vu des tons et des manières fermes et puissantes
pour soutenir ses amis comme celles qu'il a ;
c'est un trésor de bonté, d'amitié et de capacité… ».

Mme de Sévigné à Mme de Grignan, 18 décembre 1675.

Abraham Bosse
(1602-1676),
Les Vierges folles.
(détail). Gravure.
Paris,
Bibliothèque
nationale
de France.

■ HONNÊTE FEMME
La justesse du goût et la finesse de l'esprit

Au XVIIᵉ siècle, le terme « honnête » s'applique aussi bien aux comportements, à l'intelligence, à l'élégance des manières qu'aux agréments de l'esprit. L'honnêteté est moins une qualité particulière que le résumé de toutes les autres. Elle s'exprime dans le raffinement des mœurs, la justesse du goût, la finesse de l'esprit ; c'est une manière d'être, d'agir et de penser imprégnée de délicatesse, une certaine « grâce naturelle » étrangère à toute forme d'affectation ou de pédanterie. Synonyme de politesse et de civilité, l'honnêteté est la marque distinctive des gens du monde. Comme l'écrit Bussy-Rabutin* : « L'honnête homme est un homme poli et qui sait vivre. »

Or, tous s'accordent au XVIIᵉ siècle pour reconnaître aux femmes une maîtrise incontestée en ce domaine. Dès le règne d'Henri IV, les femmes sont en France à l'initiative du progrès des mœurs, et, pour la plupart des écrivains du Grand Siècle*, la femme est incontestablement le modèle de l'honnête homme. C'est dans « le commerce des femmes », dans les salons*, chez Mme de Rambouillet* ou Mme de Sablé, que s'élaborent les formes de cette civilité nouvelle. Parallèlement, se multiplient les traités sur l'égalité des sexes ou l'éducation des filles : *L'honnête fille* (1640) de F. de Grenailles, *Instructions pour une jeune princesse ou l'idée d'une honnête femme* (1684) de T. de La Chétardie, *Le Portrait d'une femme honnête, raisonnable et véritablement chrétienne* (1694) de l'abbé Goussault… On publie également de nombreux ouvrages vantant les vertus et la grandeur des femmes : *La Gallerie des femmes fortes* (1660) du père Le Moyne, *La Femme héroïque* du père Du Bosc, etc. JL

La Bruyère (Jean de)

Profitant des loisirs que lui laissait sa charge d'avocat, Jean de La Bruyère (1645-1696) put se consacrer à son œuvre littéraire. Bossuet* le fit entrer comme précepteur dans la maison de Condé* et, plus tard, comme secrétaire du duc de Bourbon. Connaissant bien la bourgeoisie parisienne qu'il avait fréquentée jusqu'alors, il put étudier les mœurs des grands. Sachant admirablement observer les ridicules, les travers et les vanités de ses contemporains, il entreprit ce qui fut l'œuvre de sa vie : *Les Caractères*. La première édition parut en 1688 ; elle ne cessa d'être revue et augmentée jusqu'en 1694.

Moraliste, en ce sens qu'il sait percer derrière les masques des hommes leur véritable personnalité, La Bruyère fait preuve d'une grande lucidité dans ses descriptions des relations sociales. Sotte fatuité des grands, modestie contrainte de ceux qui n'occupent pas le sommet de la hiérarchie, condition désolante de la paysannerie, manies et singularités de certains, tous ces traits sont rendus dans une écriture délibérément sobre. Contrairement aux autres moralistes comme La Rochefoucauld* ou Nicole*, que cite souvent Mme de Sévigné, La Bruyère évite la généralité de la maxime ou l'abstraction pour ne s'attacher qu'à l'observation des hommes tels qu'ils apparaissent dans l'expérience quotidienne. Inspirés souvent de personnes réelles de l'époque, ses portraits procèdent par touche fine, faisant transparaître délicatement le défaut ou la qualité saillante de chaque caractère. JFG

Les frères Le Nain, *Famille de paysans.* H/t 113 × 159. Paris, Louvre.

■ LA FAYETTE

Marie-Madeleine Pioche de La Vergne (1634-1693), comtesse de La Fayette en 1655, eut pour maître Gilles Ménage*, qui sut développer en elle le goût des études, avant de devenir un admirateur fervent et passionné. Plus tard, La Rochefoucauld* reconnut en elle une âme sœur ; leur longue et fidèle amitié reste l'une des plus célèbres de la littérature française. Grâce à ces rencontres, grâce à une éducation qui dépassait largement celle réservée habituellement aux femmes – elle avait étudié la philosophie, le grec, le latin, l'italien, etc. –, grâce aussi à sa situation à la Cour* – dame d'honneur d'Henriette d'Angleterre, épouse de Monsieur, elle avait pu y observer de près les intrigues –, grâce enfin à un « jugement au-dessus de son esprit » et un goût pour « le vrai en toute chose, et sans dissimulation », suivant la formule de Segrais, elle se trouva à même de mener une véritable révolution dans la narration romanesque.

Lorsque parut la *Princesse de Clèves*, anonymement, en 1678, son ton nouveau valut à l'ouvrage un succès immédiat. Comme devait le dire Voltaire, cinquante ans plus tard : « C'est Mme de La Fayette qui a fait les premiers romans où l'on ait vu les mœurs des honnêtes gens, et les aventures naturelles décrites avec grâce. Avant elle on écrivait en style ampoulé des choses peu vraisemblables. » Le contraste était en effet saisissant avec les romans* appréciés jusque-là, aux intrigues compliquées et encore imprégnés d'esprit chevaleresque, comme ceux de Mlle de Scudéry*. Indice très sûr de son succès et de l'intérêt qu'elle suscitait, l'œuvre fut aussitôt le prétexte d'une de ces querelles littéraires qui ont régulièrement agité la société parisienne. Attaqué avec esprit dans les *Lettres à Madame la marquise de *** sur le sujet de la princesse de Clèves*, publiées anonymement par Valincour, le roman fut défendu avec conviction dans les *Conversations sur la critique de la princesse de Clèves* de l'abbé de Charnes. Mme de Sévigné fut l'un des premiers lecteurs et défenseurs de l'œuvre de sa meilleure amie. Dès sa parution et durant les mois suivants, sa correspondance* avec son cousin Bussy est pleine d'échanges de leurs opinions sur le roman et d'échos de la polémique qu'il avait entraînée. JMB

« La princesse de Clèves […] ne sera pas sitôt oubliée. C'est un petit livre […] qui me paraît une des plus charmantes choses que j'aie jamais lues. »

MME DE SÉVIGNÉ À BUSSY-RABUTIN, 18 MARS 1678.

École française du XVIIᵉ siècle,
Marie-Madeleine Pioche de La Vergne, comtesse de La Fayette.
H/t 73 × 59. Comte Amaury de Ternay, château des Rochers-Sévigné.

plus divers. Né à Château-Thierry, Jean de La Fontaine (1621-1695), après des études de droit à Paris, devient membre de l'académie littéraire de la Table ronde qui se réunit chez Pellisson. En 1652, il achète la charge de maître des Eaux et Forêts. À partir de 1659, il bénéficie de la protection de Fouquet* pour lequel il entreprend *Le Songe de Vaux**. Bouleversé par l'arrestation du surintendant, le 5 septembre 1661, il écrira une magnifique *Élégie* dite *aux nymphes de Vaux*. Ses *Contes et nouvelles*, publiés en 1665, connaissent un succès éclatant. En 1668, paraissent les six premiers livres des *Fables*, dédiés au dauphin, qui seront augmentés de nouveaux recueils jusqu'en 1693. L'écriture de La Fontaine reste un modèle de perfection. Outre le contenu moral inhérent au genre de la fable, l'auteur développe aussi une critique sociale et politique souvent acerbe. Au service de la duchesse d'Orléans après la chute de Fouquet, protégé de Mme de Montespan*, de Mme du Bouillon, hébergé par Mme de La Sablière, familier du prince de Conti* et des Vendôme, ce libertin, proche des idées de Gassendi, et qui cultiva des amitiés jansénistes (voir Religion), se convertira trois ans avant sa mort. JL

Hyacinthe Rigaud (1659-1743), *Jean de La Fontaine*. H/t 82 × 66. Paris, Carnavalet.

La Fontaine (Jean de)

« Ne jetez pas si loin les livres de La Fontaine », écrit Mme de Sévigné en 1671 à sa fille à laquelle La Fontaine avait dédié *Le Lion amoureux*, « il y a des fables qui vous raviront, et des contes qui vous charmeront ». Si Mme de Sévigné aime beaucoup le fabuliste et le conteur, elle n'apprécie guère le poète, reprochant à l'écrivain « de vouloir chanter sur tous les tons ». Auteur de contes et nouvelles, de poèmes, de récits poétiques et de pièces de théâtre, La Fontaine s'est essayé aux genres les

« Faites-vous envoyer promptement les Fables de La Fontaine *;*
elles sont divines. On croit d'abord en distinguer quelques-unes,
et à force de les relire, on les trouve toutes bonnes.
C'est une manière de narrer et un style à quoi l'on ne s'accoutume poin

Mme de Sévigné à Bussy-Rabutin, 26 juillet 1679.

■ La Rochefoucauld (François, duc de)

Très proche de Mme de Sévigné, François de La Rochefoucauld (1613-1680) fut le plus grand moraliste français avec Pascal*. Issu d'une famille de très vieille noblesse, il fut d'abord un soldat, partageant son temps entre la guerre* et les intrigues, puis organisant la guerre civile lors de la Fronde*, après l'arrestation des princes en 1650. Ayant refusé, par fidélité envers Condé*, l'amnistie proposée aux frondeurs en 1652, il se retira un an au Luxembourg avant de pouvoir rentrer en France. Renonçant pratiquement à toute activité politique, il s'adonna dès lors aux plaisirs de la conversation*, fréquenta le salon* de Mme de Sablé et se lia d'une tendre amitié avec Mme de La Fayette*.

Commencées vers 1658, les *Maximes* sont nées d'un échange entre Mme de Sablé, Jacques Esprit et La Rochefoucauld qui se passionnaient pour le jeu des « sentences morales ». En 1663, une première version du manuscrit est soumise à des amis. Les réactions sont parfois vives. Certains reprochent à l'auteur d'avoir « l'âme noire », de nier les vertus chrétiennes, d'encourager le libertinage.

DVC · DE LA · ROCHEFOVCAVLD

D'autres, au contraire, reconnaissent dans l'ouvrage un accent janséniste (voir Religion) : en ruinant les prétentions des vertus humaines, l'auteur montrerait que l'homme n'est rien sans la grâce. De la première édition, publiée en 1664, à la dernière, en 1678, La Rochefoucauld ne cessera de remanier les *Maximes*. Parfait honnête* homme, il était, dira La Bruyère*, « un esprit instruit par le commerce du monde et dont la délicatesse était égale à la pénétration ». JL

École française du XVIIe siècle, *François VI, duc de La Rochefoucauld*. H/t 73 × 59. Comte Amaury de Ternay, château des Rochers-Sévigné.

« *Voilà les* Maximes *de M. de La Rochefoucauld revues, corrigées et augmentées ; c'est de sa part que je vous les envoie. Il y en a de divines, et, à ma honte, il y en a que je n'entends point ; Dieu sait comment vous les entendrez.* »

MME DE SÉVIGNÉ À MME DE GRIGNAN, 20 JANVIER 1672.

◼ La Vallière (Madame de)

Louise-Françoise de La Baume-Le Blanc (1644-1710) était entrée en 1661, en qualité de fille d'honneur, dans la maison de Madame. Elle fut bientôt remarquée par le roi et devint pour plus de dix ans la maîtresse soumise et dévouée du monarque qu'elle idolâtrait. Les premières années de son « règne » furent marquées par la faveur grandissante du modeste château de Versailles*, embelli pour la jeune femme, et où le couple venait cacher ses amours. Elle donna au roi cinq enfants, dont deux vécurent et furent légitimés : le comte de Vermandois et la première Mlle de Blois. Elle fut faite duchesse de La Vallière en 1667, au moment même où le roi commençait à se lasser d'elle et à courtiser Mme de Montespan*. Les deux maîtresses partagèrent un long moment la faveur royale, jusqu'à ce que la première se retire au carmel, en 1674. Tous ses contemporains s'accordent pour vanter son charme et sa grâce, sa douceur et sa timidité, très éloignés de l'esprit d'intrigues qu'allait déployer Mme de Montespan. Mme de Sévigné l'alla visiter à plusieurs reprise au carmel de la rue Saint-Jacques, où elle avait pris le nom de Louise de la Miséricorde. Elle parle dans ses lettres de « cette petite violette qui se cachait sous l'herbe, et qui était honteuse d'être maîtresse, d'être mère, d'être duchesse ». JMB

Peter Lely (1618-1680),
*Mlle de La Vallière
et ses enfants en anges.*
H/t. Rennes, musée
des Beaux-Arts.

Louis Ferdinand
Elle, le Jeune
(1648-1717),
*La Marquise
de Maintenon*
(détail). H/t.
Musée national
du château de
Versailles.

■ **LOUIS XIV**
Mars, Apollon et Jupiter

La Fronde* avait vu le pouvoir royal sérieusement menacé, presque réduit à néant. Enfant, Louis XIV (1638-1715) dut fuir, rechercher d'humiliantes retraites. Sitôt l'ordre social rétabli, la politique du jeune souverain fut d'affaiblir cette noblesse trop rebelle et un parlement trop remuant. Le roi se donne la totalité des prérogatives que l'État monarchique peut revendiquer dans l'exercice du pouvoir. Les institutions, les hommes, les artistes en particulier, tous doivent travailler à sa seule gloire. Les nations elles-mêmes doivent se soumettre à cette volonté impérieuse. D'où les multiples guerres* qui mineront l'économie de la France. Les conquêtes de l'Alsace, de la Franche-Comté ou de la Louisiane ne sont qu'un faible profit comparées à l'épuisement des finances de l'État. L'homme s'est à ce point identifié à son rôle, à son image mythique produite par les systèmes de représentation, qu'on a quelque peine à le comprendre. Les excès, voire les erreurs du régime sont évidents : la révocation de l'édit de Nantes, le goût, fortement encouragé par ses ministres, pour une administration extrêmement centralisée, souvent efficace mais parfois sclérosante. Mais cette volonté politique aura produit un État déjà moderne, d'une remarquable stabilité. En de multiples occasions et dans des domaines aussi différents que la guerre ou les arts, les relations entre États ou l'organisation de la Cour*, Louis XIV fit preuve d'une grande perspicacité, d'une audace souvent justifiée par de réels succès. JFG

Gian Lorenzo
Bernin, *Buste de
Louis XIV*, 1664.
Marbre, h. 80.
Musée national
du château
de Versailles.

■ Maintenon (Madame de)

Rien ne pouvait laisser prévoir que Françoise d'Aubigné (1635-1719), orpheline sans le sous mariée en 1652 au « poète cul-de-jatte » Paul Scarron, deviendrait un jour la seconde épouse de Louis XIV*, réalisant ce que Saint-Simon qualifie de « prodige incroyable d'élévation où sa bassesse était miraculeusement parvenue ». C'est pourtant ce que son esprit et son habileté, aidés par des circonstances favorables, réussirent à combiner.

« On me mande que les conversations de Sa Majesté avec Mme de Maintenon ne font que croître et embellir, qu'elles durent depuis six heures jusqu'à dix, [...] qu'on n'aborde plus la dame sans crainte et sans respect et que les ministres lui rendent la cour que les autres leur font. »

MME DE SÉVIGNÉ À MME DE GRIGNAN, 21 JUIN 1680.

Lorsqu'elle devint veuve en 1660, elle avait déjà pu établir un réseau de relations qui allait lui assurer, quelques années plus tard, la protection de Mme de Montespan*. Cette dernière lui confia le soin de s'occuper des enfants qu'elle eut du roi, d'abord secrètement puis, après la légitimation des bâtards en 1673, ouvertement. Mme Scarron avait ainsi fait son entrée à la Cour* par la petite porte. Elle allait progressivement y gagner « cette place unique dans le monde » dont parle Mme de Sévigné. On peut suivre dans les lettres de celle-ci les étapes de l'étonnante ascension, depuis la familiarité du temps où Mme Scarron est la personne « qui soupe ici tous les soirs, et dont la compagnie est délicieuse » (1672), jusqu'au moment où, devenue Mme de Maintenon, elle n'est plus guère visible à la Cour que quelques instants, avant d'être emportée par « un tourbillon » (1680). L'étonnement que suscite chez la marquise cette élévation singulière transparaît de façon sensible dans ses écrits. JMB

■ Marais (le quartier du)

Le Marais illustre à lui seul tout le siècle de Louis XIII et de Louis XIV* ; Mme de Sévigné en fut l'hôte par excellence.

Elle naquit et passa toute son enfance place Royale (aujourd'hui place des Vosges), dans l'hôtel que son grand-père maternel y avait fait bâtir au début du siècle. Elle resta fidèle au quartier tout au long de son existence, déménageant six fois mais ne concevant pas de loger

École française du XVIIᵉ siècle, *La Place Royale*, v. 1655.
H/t 115 × 81.
Paris, Carnavalet.

Le cardinal
Mazarin, détail
d'une *Pièce
allégorique
à la louange du
cardinal Mazarin
sur sa nouvelle
dignité*, 1643.
Gravure.
Paris,
Bibliothèque
nationale
de France.

ailleurs. Le Marais ne dépassait point alors les quartiers Sainte-Avoye, du Temple et Saint-Antoine, groupant les paroisses Saint-Merri, Saint-Nicolas-des-Champs, Saint-Gervais, Saint-Jean-en-Grève et Saint-Paul. Il était fort aéré, les jardins des hôtels et des couvents occupant une superficie plusieurs fois supérieure à celle des bâtiments. Les grands, qui allaient donner leur appui à la Fronde*, lui assurèrent son heure de gloire en y élisant domicile. Sous la régence d'Anne* d'Autriche, on y éleva des demeures aux plans audacieux, comme l'hôtel de Beauvais ou l'hôtel d'Amelot de Bisseul. C'était aussi le quartier du monde de la finance, qui tenait le haut du pavé et prit toute son importance grâce à la politique* menée par Mazarin*, Fouquet* puis Colbert*.

Au cours des trente dernières années du règne de Louis XIV le Marais fut progressivement délaissé pour les faubourgs Saint-Honoré et Saint-Germain*, aux possibilités foncières plus développées. AFC

▣ Mazarin

Giulio Mazarini (1602-1661) n'apparaît de son vivant que dans une seule lettre de Mme de Sévigné, adressée à Bussy en 1655, et d'une manière anodine. Les autres allusions ne permettent pas de connaître l'opinion de la célèbre épistolière à son sujet. Il fut pourtant pendant près de vingt ans l'arbitre de l'Europe, et c'est grâce à ses efforts incessants que le pouvoir monarchique français fut sauvé, que la France fut agrandie et délivrée de l'étreinte autrichienne, que les arts, les sciences et les lettres furent renouvelées par un mécénat puissant. Il fit de la France la

première nation d'Europe. Né dans les Abruzzes, Giulio Mazarini avait fait une brève carrière militaire avant de se faire apprécier par la cour pontificale dans des missions diplomatiques au cours desquelles il fit connaissance avec Richelieu. Chargé par le pape de mettre un frein à l'expansionnisme espagnol, il joua un rôle essentiel dans les négociations permettant à la France de s'imposer. Pour obéir au pape, il reçut la tonsure en 1632 mais ne fut jamais ordonné prêtre. Ambitionnant le cardinalat, il ne le reçut qu'en 1641, avec l'appui de Richelieu, qui en fit son homme de confiance. Richelieu, sur son lit de mort, le recommanda à Louis XIII, qui le nomma premier ministre, trois mois plus tard, en décembre 1642.

Mazarin sut se maintenir au pouvoir jusqu'à sa mort en jouant des ambitions des uns et des autres. À partir de 1648, devenu le bouc émissaire de la crise illustrée par la Fronde* et l'interminable guerre* avec la maison d'Autriche, il dut s'exiler à deux reprises, mais ce fut pour mieux reprendre les affaires en main. AFC

Abraham Bosse
(1602-1676),
La Saignée.
Burin, 26,4 × 34,5.
Paris, Carnavalet.

■ Médecine

Les lettres de Mme de Sévigné offrent au lecteur de nombreuses et savoureuses digressions sur le chapitre de la médecine ; quoi de plus naturel en effet que de s'enquérir de la santé de son correspondant, de faire état de la sienne, de disserter sur les théories des uns et des autres.

Après Molière*, qui en fit un des thèmes privilégiés de ses comédies*, Mme de Sévigné en dresse un tableau plus véridique, montrant que si le XVIIe siècle ouvrit la voie à la médecine moderne, il était encore fortement attaché à la doctrine hippocrato-galénique qui régnait en Occident depuis près de quatorze siècles.

Selon celle-ci, la maladie résultait de l'excès ou de la viciation de l'une des quatre fameuses humeurs : sang, bile, phlegme et atrabile ; d'où le triomphe des saignées, purges, émétisants et clystères, dont Mme de Sévigné se fait l'écho. Si elle ne rapporte pas les découvertes fondamentales de son siècle comme celles de la circulation du sang par Harvey (objet de longues polémiques) ou du canal thoracique par Pecquet (médecin de Fouquet* et de la marquise entre 1660 et 1675), elle rend compte des nouvelles drogues dont s'enrichit la pharmacopée : l'antimoine, l'ipéca et le fameux quinquina, sujet d'un poème de La Fontaine* en 1682. Elle n'évoque pas non plus les créations d'hôpitaux comme La Salpêtrière et la fondation de l'hôtel des Invalides, ni la publication, dès 1665, du *Journal des savants* (voir Presse). Avec beaucoup d'humilité, Mme de Sévigné s'en remettait aux médecins. AFC

■ Ménage (Gilles)

D'abord avocat comme son père, Gilles Ménage (1613-1692) dédaigna vite le droit pour se consacrer à la littérature. De puissants protecteurs, comme Mazarin*, et des dons multiples lui assurèrent bientôt une position de premier plan dans les cénacles de lettrés. Une maîtrise parfaite de l'italien, de l'espagnol, du latin, du grec et même de l'hébreu aurait pu en faire un simple érudit, auteur d'ouvrages savants ; une propension irrésistible à la critique et à l'ironie en fit aussi un polémiste, constamment engagé dans des controverses littéraires où il mettait toute sa passion. Un autre penchant irrésistible, celui de la galanterie lui fit multiplier les petites pièces en vers, à l'élégance affectée, qui forment un contrepoint futile à ses travaux sur l'étymologie et qui

« Enfin c'est une chose étrange que la fragilité de nos machines. »

Mme de Sévigné à Bussy-Rabutin, 15 juin 1688.

incitèrent Molière* à en faire le modèle du Vadius des *Femmes savantes*. Il aurait été le professeur d'italien des demoiselles de Chantal* et de La Vergne ; devenues Mmes de Sévigné et de La Fayette*, elles furent les objets conjoints d'une passion toute littéraire. Leurs noms, voilés ou non, apparaissent fréquemment dans ses poésies, comme dans l'épigramme suivante, où Mme de La Fayette est aimée en vers et Mme de Sévigné en prose :

De Parménis, de Timarète,
À qui j'ai dit maintes fleurettes,
On fait cent jugements divers.
Pour moi je n'en dis qu'une chose.
J'adorai Timarète en vers
Et j'aimai Parménis en prose.
JMB

Attribué à Pierre Mignard (1612-1695), *Françoise de Sévigné, comtesse de Grignan* (détail). Paris, Carnavalet.

■ Modes et coiffures

Sous Louis XIV*, la Cour* était devenue le moteur de la mode et donnait le ton à Paris, à la France, et était sur la voie de le donner bientôt à toute l'Europe. Si les lettres de Mme de Sévigné sont une source de renseignements unique sur bien des sujets, la mode n'en fait pas partie. On aimerait savoir ce qu'elle pensait des rhingraves aux mille rubans, moqués par Molière*, ou des prétintailles et falbalas, ornements obligés du costume féminin vers 1680. Bien qu'elle avoue aimer la mode, on trouve à peine dans ses lettres conservées une remarque, en passant, sur l'évolution d'une tendance, comme la longueur des jupes : « Cette mode vient jusqu'à nous ; nos demoiselles de Vitré [...] les portent au-dessus de la cheville du pied » (21 juin 1671). En revanche, elle parle plus longuement d'une coiffure nouvelle, dite à l'hurluberlu, qu'elle vit la première fois chez la duchesse de Ventadour, en mars 1671, et qu'elle trouva d'abord ridicule. Quelques jours plus tard, un complet retournement lui faisait dire : « Cette coiffure est faite pour vous », avant d'en commencer une description détaillée, prélude à l'envoie d'une poupée, plus explicite, pour que sa fille l'adopte sans faute. JMB

« *Mme de Nevers y vint coiffée à faire rire ; il faut m'en croire, car vous savez comme j'aime la mode. La Martin l'avait bretaudée par plaisir, comme un patron de mode excessive. Elle avait donc tous les cheveux coupés sur la tête et frisés naturellement par cent papillotes, qui lui font souffrir toute la nuit mort et passion. Tout cela fait une petite tête de chou ronde [...]. Ma fille, c'était la plus ridicule chose qu'on peut imaginer.* »

MME DE SÉVIGNÉ À MME DE GRIGNAN, 18 MARS 1671.

■ MOLIÈRE (JEAN-BAPTISTE POQUELIN, DIT)
Un dangereux personnage ?

Molière (1622-1673) a été perçu par ses contemporains comme un observateur à la fois drôle et redoutable, « un dangereux personnage » écrit Donneau de Visé, qui « ne va point sans ses yeux ni sans ses oreilles ». Le public se délectait de reconnaître dans ses personnages des figures connues. S'écartant peu à peu des modèles italiens et espagnols qui régnaient alors sur le théâtre* comique, Molière renouvela complètement un genre qui ne prétendait jusque-là qu'au divertissement, et l'éleva à la dignité de la tragédie*. Avec lui, la comédie* devint une « peinture morale », une étude des mœurs, des caractères et de la société. En 1643, il fonde L'Illustre Théâtre avec Madeleine Béjart. La troupe fait ses armes en province, où Molière crée sa première pièce, L'Étourdi. Elle revient en 1658 à Paris et joue Nicomède devant le roi et la Cour*. Placée sous la protection de Monsieur, frère du roi, la compagnie s'installe dans la salle du Petit Bourbon où Les Précieuses* ridicules remportent un immense succès, puis au théâtre du Palais Royal. Plus tard, la « troupe de Monsieur » devient la « troupe du Roi ». La faveur dont jouit Molière auprès de Louis XIV* (il est le parrain de son premier fils) suscite la jalousie des comédiens de l'hôtel de Bourgogne et l'hostilité des dévots*. Ceux-ci feront interdire Tartuffe avant même que la pièce ne soit achevée, et obtiendront que Don Juan soit retiré de l'affiche. Molière mourra quelques jours après la création du Malade imaginaire. JL

Nicolas Mignard,
*Jean-Baptiste
Molière dans le rôle
de César de La
Mort de Pompée.*
H/t 75 × 60.
Paris, Carnavalet.

« *On me contait hier la comédie de ce* Malade imaginaire, *que je n'ai point vue. [...] Cela me fit fort rire…* »

Mme de Sévigné à Mme de Grignan, 16 septembre 1676.

Montespan (Madame de)

Françoise-Athénaïs de Rochechouart (1641-1707) était devenue fille d'honneur de la reine en 1661 et marquise de Montespan en 1665. Sa beauté éclatante en avait fait l'un des ornements de la Cour*, et elle dansa dans tous les ballets* auxquels Mlle de Sévigné participait. Évinçant peu à peu la timide Mlle de La Vallière*, elle devint la maîtresse du roi en 1667, et allait le rester pendant plus de douze ans, grâce à un esprit brillant. Elle occupa bientôt un appartement plus vaste et somptueux que celui de la reine, rassemblant dans son salon* tous les beaux esprits de la Cour. Le grand divertissement organisé en son honneur à Versailles*, en 1668, et la construction en

D'après
Pierre Mignard,
*La Marquise de
Montespan entourée
de ses quatre
premiers enfants
légitimés*, 1677.
H/t 248 × 113.
Musée national
du château
de Versailles.

1674 du château de Clagny, à son usage exclusif, furent autant de marques de la passion du roi pour la jeune femme, qui lui donna huit enfants, dont trois vécurent.

Malgré sa faveur sans égale, Mme de Montespan n'était pas seule dans le cœur de son amant, et les passades du roi se faisant de plus en plus fréquentes, elle n'hésita pas à avoir recours à des expédients tels que messes noires et philtres d'amour, fournis par la Voisin, qui la compromirent gravement. Louis XIV* préféra étouffer l'affaire des poisons*, mais ce fut la fin de Mme de Montespan et le triomphe définitif de Mme de Maintenon*. Mme de Sévigné parle fréquemment dans ses lettres de la favorite*, le plus souvent affublée d'un surnom, tel que *Quanto* ou *Quantova*, et se plaît à détailler les hauts et les bas de sa liaison avec le roi : « Il y eut l'autre jour une extrême brouillerie entre Sa Majesté et Mme de Montespan. M. Colbert* travailla à l'éclaircissement [...]. » JMB

■ Montpensier (Mademoiselle de)

Anne-Marie-Louise d'Orléans (1627-1693), Mademoiselle, princesse souveraine de Dombes, duchesse de Montpensier, comtesse d'Eu, etc., fille de Gaston d'Orléans, frère de Louis XIII, était aussi par sa mère l'héritière de biens immenses, qui en faisaient « la plus riche princesse particulière de l'Europe ».

Pénétrée de la supériorité de sa naissance, elle rêvait d'épouser un prince souverain ; après avoir rejeté plusieurs candidats, elle jeta son dévolu sur son cousin germain, Louis XIV*, qui, bien que plus jeune de dix ans,

Louis XIV en Apollon et Anne-Marie d'Orléans, la Grande Mademoiselle en Diane, détail de *La Famille de Louis XIV représentée en travestis mythologiques*, par Jean Nocret, 1670. H/t. Musée national du château de Versailles.

lui semblait le seul parti convenable. Ses déconvenues matrimoniales furent en partie la cause de son fougueux engagement dans la Fronde*. Après quelques années d'exil, elle rentra à Paris, et se consacra à l'étude « et à l'entretien des gens d'esprit et de mérite », parmi lesquels Mme de Sévigné avec qui elle échangea une correspondance* dont ne restent que quelques bribes.

Alors qu'elle semblait résignée à ne point se marier, Mademoiselle s'éprit, en 1669, d'un simple gentilhomme, le comte de Lauzun, qui jouissait auprès du roi d'une grande faveur, passion pour laquelle elle n'hésita pas à braver toutes les préventions qu'une telle mésalliance soulevait à la Cour*. Le roi, d'abord consentant, revint sur sa décision, et le mariage, annoncé avec éclat, fut annulé. Mme de Sévigné a conté l'aventure dans une lettre fameuse : « Je m'en vais vous mander la chose la plus étonnante, la plus miraculeuse, la plus triomphante, la plus inouïe, la plus singulière, la plus extraordinaire, la plus incroyable, la plus imprévue, la plus grande, la plus petite, la plus rare, la plus commune, la plus éclatante, la plus secrète […]. »

L'attitude insolente du comte de Lauzun, encore plus marquée après son mariage manqué, finit par lasser le roi qui le fit emprisonner. La princesse obtint sa libération dix ans plus tard – en cédant sa souveraineté de Dombes au profit du duc du Maine, bâtard légitimé du roi – et l'épousa secrètement en 1681. Mais leur union fut détestable et une séparation définitive eut lieu dès 1684. Elle mourut en 1693, après avoir consacré ses dernières années à la dévotion. JMB

■ MUSIQUE

Le règne de Louis XIV* a été une époque glorieuse pour la musique française, et a laissé des œuvres religieuses ou profanes d'une intensité et d'une richesse étonnantes. Parmi de nombreuses personnalités de talent, à l'abondante production, comme Lambert, Dumont, Marais, Delalande, Charpentier, etc., domine, par son immense génie, celle de Jean-Baptiste Lully (1632-1687). Malgré son goût très vif pour la musique, Mme de Sévigné ne fait dans ses lettres que peu de mentions de musiciens, hormis Lully. Pour elle, comme pour ses contemporains, il personnifiait à lui seul toute la musique, dont il aborda en effet tous les genres. Son instinct très sûr et son extraordinaire fécondité, lui permettaient de saisir les attentes du public, qu'il savait aussi bien séduire qu'étonner.

Connu d'abord comme virtuose, Lully créa et dirigea la Petite Bande des violons du Roi, l'une des formations musicales de la Cour*, puis occupa en 1653 la charge de compositeur de la Chambre, et sut se rendre indispensable dans l'organisation des ballets* et des fêtes, où, non content de fournir la musique, il intervenait aussi comme chanteur, acteur et danseur. Nommé en 1661 surintendant de la Musique, il régna dès lors sans partage sur la vie musicale de la Cour, composant aussi bien les motets pour le service de la Chapelle que les fanfares pour les régiments royaux. La création, à son profit, de l'Académie royale de musique, en 1672, fut le couronnement de sa carrière. Commença alors la fructueuse collaboration avec Philippe Quinault qui donna naissance à un genre nouveau, la tragédie* lyrique, et à une série de chefs-d'œuvre : *Alceste*, *Atys*, *Roland*, *Armide*, etc. Mme de Sévigné se montrait transportée par les charmes de sa musique, qu'il s'agît de celle du service funèbre de Séguier* : « Il y eut un *Libera* où tous les yeux étaient pleins de larmes. Je ne crois point qu'il y ait une autre musique au ciel » ; ou de celle d'un nouvel opéra : « On joue jeudi *[Alceste]*, qui est un prodige de beauté ; il y a déjà des endroits de la musique qui ont mérité mes larmes. Je ne suis pas seule à ne les pouvoir soutenir ; l'âme de Mme de La Fayette* en est alarmée. » JMB

Eustache Le Sueur (1616-1655),
Melpomène, Erato et Polymnie.
H/b 130 × 138. Paris, Louvre.

« *Pour la musique, c'est une chose qu'on ne peut expliquer.*
Baptiste avait fait un dernier effort de toute la musique du Roi.
Ce beau Miserere *y était encore augmenté.*
Il y a eu un Libera *où tous les yeux étaient pleins de larmes.*
Je ne crois point qu'il y ait une autre musique dans le ciel. »

À PROPOS DE LULLY, MME DE SÉVIGNÉ À MME DE GRIGNAN, 6 MAI 1672.

Nicolas Poussin
(1594-1665),
Céphale et l'Aurore
(détail). H/t.
Londres,
National Gallery.

Ornelis Martinus
Vermeulen,
d'après Elisabeth
Chéron,
Pierre Nicole.
Burin, 25 × 17,4.
Paris, Carnavalet.

■ Mythologie galante

La mythologie galante appartient à un genre extrêmement général au XVIIe siècle, à savoir le merveilleux. Opéra (voir Musique), théâtre*, roman*, peinture, sculpture et l'ensemble des arts sont peuplés des dieux de la mythologie classique. Le merveilleux païen l'emporte largement par sa diversité et son abondance sur le merveilleux chrétien. Les amours des dieux, propices à l'expression des sentiments et à une certaine licence, se prêtent ainsi à diverses formes d'allégories, de pastorales galantes.

Ces symboles, très souvent complexes, supposaient une connaissance des textes de la mythologie (voir Précieuses littéraires). Comme l'histoire de Daphnis et Chloé, celle de Pyrame et Thisbé, par exemple, est aussi bien l'objet de tragédies* (Théophile de Viau), de poésies que de peintures (Poussin). Ces passions, représentées de mille manières dans les figures mythologiques, permettent au spectateur de s'identifier aux personnages en maintenant une distance qui satisfait le désir général de convenance. En ce sens, le genre est assurément symbolique, puisqu'il n'est pas sans affinité avec la fable et rend visible la traduction des sentiments parfois les plus violents ou les moins avouables explicitement. De *L'Astrée* d'Honoré d'Urfé jusqu'aux tragédies de Racine*, sans omettre les œuvres plastiques, la mythologie est l'une des conditions majeures de la création artistique au XVIIe siècle. JFG

■ Nicole (Pierre)

Fils d'un avocat de Chartres, Pierre Nicole (1625-1695), après des études de philosophie à Paris, entre comme maître aux Petites Écoles de Port-Royal. Très proche d'Arnauld et de Pascal*, il prit part à la plupart des écrits qui émanèrent de Port-Royal ; sa très grande érudition lui permettait de rassembler les matériaux dont ses amis avaient besoin pour leurs ouvrages ou pour assurer leur défense auprès des tribunaux.

Incontestablement doué pour la controverse, il publia quantité d'écrits polémiques en faveur du jansénisme (voir Religion).

Auteur d'une traduction des *Provinciales* en latin, des *Lettres sur l'hérésie imaginaire*, de *La Logique ou l'art de penser* (1662) avec Arnauld, Nicole fut surtout apprécié de ses contemporains pour ses *Essais de morale*, publiés de 1671 à 1678. Mme de Sévigné parle souvent et avec enthousiasme de ces petits traités qu'elle juge admirables : « Je lis Monsieur Nicole avec un plaisir qui m'enlève », écrit-elle à sa fille le 30 septembre 1671. Immense lecteur, d'une conversation* agréable, ce « solitaire » qui ne cessa jamais de fréquenter le monde et que l'on a décrit comme le diplomate du jansénisme, connut une vieillesse paisible.

Vers la fin de sa vie, il était honoré et respecté de tous, à l'exception des jésuites. Bossuet*, qui l'estimait beaucoup, le consultait sur des points de doctrine. JL

■ PARIS, VILLE MODERNE : L'ÉLAN DES BOURBONS

Le plan de Paris, dressé par Bullet et Blondel en 1676, témoigne de la politique d'embellissement de la capitale voulue par les rois. Paris doit tout d'abord à Henri IV ses deux premières places au tracé géométrique, bordées de maisons identiques, les places Royale et Dauphine, puis à Louis XIV* les places des Victoires et Louis-le-Grand, reflets urbanistiques de la monarchie absolue. Henri IV fut également à l'origine du premier pont sans maisons, le Pont-Neuf, qui fut suivi sous Louis XIII des ponts Marie, de la Tournelle, au

Double et Rouge. Des quais furent aménagés le long de la Seine, ouvrant la ville sur le fleuve. Louis XIV, fort de ses succès militaires, fit transformer l'enceinte en un large cours ponctué par les portes Saint-Denis et Saint-Martin. Tandis que les travaux se poursuivaient au Louvre, plusieurs bâtiments majeurs virent le jour : collège des Quatre-Nations, manufac-

ture des Gobelins, hôpital de La Salpêtrière, hôtel des Invalides... Quant à l'architecture religieuse, elle affirmait le triomphe de la réforme catholique : églises Saint-Roch, Saint-Sulpice, du Val-de-Grâce... auxquelles s'ajoutèrent de multiples fondations religieuses. Parallèlement, Paris se dota d'équipements modernes. Des pompes furent créées à la Samaritaine et au pont Notre-Dame pour l'approvisionnement en eau. Le pavement des rues de la capitale et leur entretien fut désormais du ressort des services royaux. Le progrès le plus spectaculaire fut sans doute l'éclairage des rues, qui accrut la sécurité nocturne et suscita l'admiration générale. AFC

■ Pascal (Blaise)

À l'attention que son père porte à sa formation intellectuelle, Blaise Pascal (1623-1662) répond, très tôt, par des dons exceptionnels. À dix ans, il assiste à des réunions de savants qu'organise l'abbé de Mersenne. Il publie à seize ans son *Essai sur les coniques* et invente trois ans plus tard une machine arithmétique. Ses recherches en physique et en mathématique aboutissent aux *Expériences nouvelles touchant le vide* (1647), à *L'Équilibre des liqueurs et de la pesanteur de la masse de l'air*. Après avoir écrit le *Traité du triangle arithmétique* (1654), il fonde avec Fermat le calcul infinitésimal. Tout en poursuivant ses travaux scientifiques, il fréquente divers « honnêtes* hommes », dont le chevalier de Méré, auprès desquels il découvre les finesses cachées de

« *Je poursuis cette* Morale *de Nicole que je trouve délicieuse. [...] Personne n'a écrit sur ce ton que ces Messieurs, car je mets Pascal de moitié à tout ce qui est de beau.* »

MME DE SÉVIGNÉ À MME DE GRIGNAN, 23 SEPTEMBRE 1671.

« l'art d'agréer ». Mais, après sa conversion fulgurante, le 23 novembre 1654, et sous l'influence de sa sœur Jacqueline, il se retire à Port-Royal. Découvrant alors l'ampleur des attaques dont les jansénistes (voir Religion) sont l'objet, il rédige *Les Provinciales* (1656-1657), cinglante réplique aux jésuites à propos du problème de la grâce et qui connaît un immense succès. Il travaille alors à son *Apologie de la religion chrétienne* dont il ne laissera à sa mort que des fragments. L'édition de Port-Royal des *Pensées* fut publiée en 1670. Récemment reconstituées sous la forme d'un discours continu, elles représentent, avec *Les Provinciales*, un moment unique de lucidité spirituelle et un tournant dans la prose du XVIIe siècle, qui parvient ainsi à un état de perfection jamais surpassé. Lectrice de Nicole* et de Pascal, Mme de Sévigné mentionne souvent l'auteur des *Pensées,* aimant à citer certaines de ses expressions comme : « Dieu sensible au cœur » ou « l'opinion reine du monde ». JL

▨ Perrault (Charles)

Issu d'une nombreuse famille qui s'est illustré dans les lettres, l'architecture, le monde ecclésiastique ou la médecine, Charles Perrault (1628-1703) entreprend une carrière d'avocat qu'il abandonne rapidement. Les loisirs que lui laisse son emploi de commis chez le receveur des Finances lui permettent de s'adonner à la poésie et aux lettres. Recommandé par Chapelain, il est nommé secrétaire de la Petite Académie*. Il devient ensuite premier commis des Bâtiments. Ces multiples activités l'obligent à se former le goût au contact de tous les arts

de son temps, et lui assurent un solide réseau de relations dont il saura tirer profit. Son poème *La Peinture* est un écrit de circonstance en faveur de Le Brun. C'est avec *Le Siècle de Louis le Grand* que s'expriment ses conceptions qui aboutiront au *Parallèle des Anciens et des Modernes* (1688-1697). Comparant le mérite des auteurs antiques et le talent des artistes de la Renaissance et surtout de l'époque de Louis XIV*, le *Parallèle* est une véritable charte esthétique en faveur des « Modernes ». Audacieux et parfois contestable, le livre ébranle le culte général pour les modèles anciens en affirmant plus résolument encore que Vasari l'idée d'un progrès des arts et des lettres. Perrault écrivit en outre un célèbre recueil de *Contes*, à la composition duquel son propre fils aurait, semble-t-il, largement collaboré. JFG

▨ Poisons (affaires des)

Après le procès en 1676 de la Brinvilliers, dame de la haute société qui, grâce à sa « poudre de succession », avait éliminé son père et ses frères, l'affaire des poisons passionna l'opinion publique entre 1679 et 1682. Le personnage clef, Catherine Monvoisin, dite la Voisin, avait procuré pendant des années, à des gens de toutes conditions, philtres d'amour, potions aphrodisiaques ou poisons pour hâter la mort d'un conjoint ou d'un parent. L'ampleur insoupçonnée de l'affaire motiva la création d'une « chambre ardente » aux pouvoirs étendus, instruisant et jugeant tout à la fois. Plus de quatre cents accusés passèrent en jugement, dont trente-six furent exécutés. Certains prévenus étaient si haut placés que leur procès fut révo-

Jean-Baptiste Lallemand, *Charles Perrault* (détail). H/t. Musée national du château de Versailles.

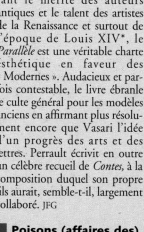

Antoine Aveline (1691-1743), *La Place des Victoires.* Gravure. Paris, Carnavalet.

François Quesnel fils, *Blaise Pascal* (détail). H/t. Musée national du château de Versailles.

qué, comme la comtesse de Soissons, nièce de Mazarin*, la duchesse de Bouillon, le maréchal-duc de Luxembourg et, surtout, Mme de Montespan*.

Mme de Sévigné a raconté l'exécution de l'empoisonneuse, le 22 février 1680 : « À cinq heures on la lia et, avec une torche à la main, elle parut dans le tombereau, habillée de blanc [...]. Elle était fort rouge, et l'on voyait qu'elle repoussait le confesseur et le crucifix avec violence [...]. À la Grève, elle se défendit autant qu'elle put de sortir du tombereau. On l'en tira de force. On la mit sur le bûcher, assise et liée avec du fer. On la couvrit de paille. Elle jura beaucoup, elle repoussa la paille cinq ou six fois, mais enfin le feu s'augmenta et on l'a perdue de vue, et ses cendres sont en l'air présentement. Voilà la mort de Mme Voisin, célèbre par ses crimes et par son impiété. » JMB

Charles Le Brun, *La Marquise de Brinvilliers allant au supplice*, 1676. Trois crayons avec quelques touches de pastel sur papier gris, 31 × 24,6. Paris, Louvre.

■ Politique étrangère

La politique étrangère de la France fut animée tout au long du XVIIᵉ siècle par la volonté d'une poignée d'hommes soucieux de donner à la première place au pays et de l'y maintenir. Le premier objectif était de réduire les prétentions de l'Espagne dont les possessions encerclaient la France. Après une longue préparation diplomatique et militaire, la guerre* lui fut déclarée en 1635, mettant la France en conflit avec la moitié de l'Europe. Malgré la Fronde*, Mazarin* poursuivit le dessein de ses prédécesseurs et imposa l'arbitrage de la France aux traités de Westphalie, en 1648, et des Pyrénées, en 1659. Sous Louis XIV*, l'enjeu se modifia ; sur les conseils avisés de Colbert*, le roi orienta sa politique vers le pôle protestant avec pour cible principale l'insolente et richissime Hollande. La réaction ne se fit pas attendre. Une coalition se forma, la Triple Alliance, qui donna naissance à la guerre de Hollande (1672-1679).

Malgré des revers, Louis XIV sortit victorieux du conflit et s'imposa sur l'échiquier diplomatique de l'Europe. Au fait de sa gloire, il s'autorisa quelques actions d'éclat destinées à appuyer sa position, mais se heurta à l'union de ses adversaires qui avaient conclu la ligue d'Augsbourg. Une nouvelle guerre débuta, coûteuse en hommes et en argent, à l'issue de laquelle Louis XIV dut rabaisser ses prétentions, d'autant que se profilait la succession d'Espagne qui l'entraîna dans un dernier conflit. Informée par ses amis, dont Pomponne*, un moment au cœur de la diplomatie royale, Mme de Sévigné constitue une source non négligeable d'information sur la politique royale. AFC

« Devinez où je m'en vais tout à l'heure, ma bonne : à Livry, et demain dîner à Pomponne avec mon bonhomme. Il m'a priée si tendrement de lui faire cette visite, pendant qu'il fait beau, que je n'ai pas voulu le refuser. »

Mme de Sévigné à Mme de Grignan, 8 janvier 1672.

Pomponne
(Simon Arnauld de)

« Il y a trente ans (c'est une belle date) que je suis amie de Monsieur de Pomponne ; je lui jure fidélité jusqu'à la fin de ma vie, plus dans la mauvaise que dans la bonne fortune. C'est un homme d'un si parfait mérite, quand on le connaît, qu'il n'est pas possible de l'aimer médiocrement. » C'est en ces termes que Mme de Sévigné décrit l'amitié qui l'unissait à Simon Arnauld de Pomponne (1618-1699). Fils de Robert Arnauld* d'Andilly et neveu du Grand Arnauld, Pomponne débuta comme intendant des Armées, puis fut nommé ambassadeur à Stockholm et à La Haye et enfin secrétaire d'État aux Affaires étrangères de 1671 à 1679. C'est lui qui dirigea la diploma-

Laurent
de La Hyre,
*Allégorie de la paix
de Westphalie :
la France reçoit
la paix des mains
de la Victoire,*
1648.
H/t 225 × 162.
Musée national
du château
de Versailles.

tie française pendant la guerre* de Hollande et qui conclut le traité de paix de Nimègue. Disgracié en 1679, il fut rappelé en 1691 et siégea jusqu'à sa mort au Conseil d'en haut comme ministre d'État. Sa position au gouvernement lui permit de rendre des services à Mme de Sévigné et de s'occuper des intérêts des Grignan*. De tous les liens qui unissaient Mme de Sévigné à la famille Arnauld, ceux qu'elle avait établis avec

Signature de la paix de Nimègue, 1678 (détail). Gravure. Paris, Bibliothèque nationale de France.

Pomponne furent les plus étroits. Leur admiration réciproque se traduisit par une correspondance* échangée au gré des événements et notamment des disgrâces de Pomponne : il fut exilé à deux reprises, notamment après l'arrestation de Fouquet* dont il était l'ami. AFC

■ Portrait

Il existe plusieurs portraits authentiques de Mme de Sévigné. Un petit portrait en buste, attribué aux Beaubrun, nous la montre adolescente, tandis que le grand portrait en pied, anonyme, conservé aux Rochers, en Bretagne*, la représente quelques années plus tard, au moment de son mariage (ill. p. 10). La peinture de Lefèvre (ill. p. 13) et le pastel de Nanteuil (ci-contre), tous deux à Carnavalet*, montrent son visage dans sa plénitude, entre

Robert Nanteuil, *Mme de Sévigné* (détail), v. 1670. Pastel. Paris, Carnavalet.

trente-cinq et quarante-cinq ans. Enfin, sur la toile anonyme conservée à Versailles* (ill. p. 65) la marquise est déjà âgée. On connaît encore, par la gravure, un portrait de Ferdinand Elle, dont une toile, conservée au château de Bussy, est un écho lointain. Malheureusement, si Mme de Sévigné cite parfois dans ses lettres des portraits de sa fille, elle ne parle jamais des siens, sinon par allusion. On en est donc réduit aux conjectures pour les attributions, quand l'œuvre n'a pas été gravée.

Devenue célèbre et même objet d'un véritable culte, Mme de Sévigné fut gratifiée au XIXe siècle d'une multitude de portraits anonymes, qui pouvaient plus ou moins vraisemblablement passer pour la représenter. Le musée Carnavalet en a recueilli plusieurs, mais on en trouve jusqu'aux Offices, à Florence. Les gravures ont largement répandu la physionomie de la marquise dans le grand public. Au XVIIIe siècle, cantonnées aux frontispices des nombreuses éditions* des *Lettres*, elles s'inspirent des portraits de Elle, de Lefèvre ou de Nanteuil. Au XIXe siècle, diffusées dans des publications beaucoup plus variées, elles peuvent présenter un visage entièrement inventé, à la convenance du graveur ou du lithographe (ill. p. 47) ; le plus souvent, néanmoins, elles copient, d'une manière plus ou moins fidèle, l'un des portraits connus, avec une très nette préférence pour celui de Nanteuil, soit qu'il fût alors plus facilement accessible que d'autres, soit qu'il parût plus caractérisé, avec ses célèbres bouclettes. C'est certainement ce portrait qui symbolise le mieux, dans l'imaginaire des Français, les traits de la marquise. JMB

■ PRÉCIEUSES LITTÉRAIRES
Un maniérisme des lettres ?

De la mort d'Henri IV à la Fronde*, quelques salons* parisiens, dont le plus célèbre fut l'hôtel de Rambouillet*, favorisèrent l'épanouissement d'une nouvelle sensibilité littéraire. Il s'agissait moins d'une école ou d'une doctrine que d'une nouvelle conception du langage qui exacerbait les formes les plus métaphoriques du discours. Animés par des femmes d'esprit, comme Catherine de Vivonne (Mme de Rambouillet), ces salons réunissent d'abord Vaugelas, le Cavalier Marin, Voiture, Guez de Balzac ; plus tard, on y rencontre Scarron, Cotin, Corneille*, Mlle de Scudéry*, Mme de Longueville ou de Mme de Brégy. D'autres salons apparaissent après 1650, présidés par des femmes de talent, telles que Mme de Sablé, Mme Scarron ou Mlle de Scudéry. Le rôle prédominant des femmes dans ces cercles eut une influence considérable sur la formation de la langue française et sur le goût parfois encore un peu fruste de l'aristocratie. L'attention portée aux mots et les inventions verbales trop subtiles, pour ne pas dire outrées, ont pu irriter. Ainsi on raconte qu'Angélique d'Angennes poussait le purisme si loin qu'elle s'évanouissait en entendant un mot banni à l'hôtel de Rambouillet. Exaspéré, un visiteur s'écria un jour : « De par tous les diables, on ne sait comment parler céans ! » Mais, par-delà l'anecdote, le goût des précieuses donna à la langue littéraire une acuité, un sens des nuances et une audace dans l'usage des figures que les classiques surent assimiler, mais en les tempérant. JFG

Sébastien Stosskopf, *Les Cinq Sens* ou *L'Été*. H/t 113 × 180,5. Strasbourg, musée des Beaux-Arts.

■ Prédication, prédicateurs

« Ah ! Bourdaloue ! Il fit, à ce qu'on m'a dit, une Passion plus parfaite que tout ce qu'on peut imaginer… Comment peut-on aimer Dieu, quand on n'entend jamais bien parler de lui ? » (1er avril 1671). L'enthousiasme qu'éprouve Mme de Sévigné en écoutant les prédicateurs est propre à la sensibilité de son époque. En effet, les sermons ou les oraisons funèbres d'un Fléchier, d'un Bourdaloue (1632-1704) ou d'un Bossuet* sont pour nous des textes écrits, donc privés de toutes les variations des effets oratoires. En ce sens ils ne permettent pas de

« *Mlle du Plessis [...] a une nouvelle amie
à Vitré, dont elle se pare, parce que c'est un bel esprit
qui a lu tous les romans…* »

Mme de Sévigné à Mme de Grignan, 31 mai 1671.

saisir pleinement la puissance de l'éloquence sacrée au XVIIᵉ siècle et la force de l'émotion qu'elle suscitait. Dans la prédication populaire comme dans celle destinée à la Cour, la voix, l'intonation et l'intensité de l'action oratoire jouaient un rôle essentiel. Formés le plus souvent par les jésuites (voir Religion), les prédicateurs de la seconde moitié du siècle sont parvenus à une maîtrise incomparable de l'art de la parole. L'engouement que manifestent Mme de Sévigné comme Mme de La Fayette* pour Bourdaloue s'explique par ses qualités de rigueur et d'acuité dans l'analyse psychologique. Si Bossuet est quelque peu éclipsé aux yeux de Mme de Sévigné, c'est qu'il prêcha moins souvent que Bourdaloue et dans des genres d'éloquence différents (oraisons funèbres, sermons d'apparat). S'adressant à un public plus large que celui des grandes céré-monies funèbres, la prédication de Bourdaloue accorde une place prépondérante à l'étude des travers et des vices de l'homme. Ses portraits ne sont pas sans rappeler parfois l'art de La Bruyère*. JFG

■ Presse

Comparés à la presse hollandaise, les journaux français sont relativement rares au début du XVIIᵉ siècle. Publiés irrégulièrement, ils se réduisent le plus souvent à une simple feuille. *Les Nouvelles ordinaires de divers endroits*, lancées par Jean Martin et Loïs Vendosme, sont rapidement éclipsées par *La Gazette* de Théophraste Renaudot (1586-1653), lancée en 1631. Médecin de formation, Renaudot s'était lié très tôt au père Joseph, ami et conseiller du futur cardinal de Richelieu. En 1628, il avait ouvert un « bureau d'adresses » où il recevait des offres et des demandes d'emplois, d'où naquit *La Feuille du bureau d'adresses*, composée des premières petites annonces.

Quoique ne dépassant pas quatre pages à ses débuts, *La Gazette de France* connaît un prompt succès dû à l'intelligence et au talent de Renaudot, considéré comme l'un des fondateurs du journalisme français. Soutenue par Richelieu, elle compte bientôt douze pages, et communique des nouvelles du monde entier. En 1638, Renaudot prend la tête du *Mercure français*. Deux autres grands journaux vont prospérer dans la

Philippe Simonneau, d'après Jean-Baptiste Jouvenet, *Louis Bourdaloue*. Eau-forte et burin, 15 × 11. Paris, Carnavalet.

Page de titre de *La Gazette*, mai 1631. Paris, Bibliothèque nationale de France.

« *J'aime trop le* Mercure galant [...].
*Je suis un peu fâchée que vous n'aimiez point les madrigaux ;
ne sont-ils pas les maris des épigrammes ?* »

Mme de Sévigné à Mme de Grignan, 18 août 1680.

RACINE

François
Chauveau
Andromaque
(acte III, scène 6)
de Jean Racine,
1676. Gravure.
Paris,
Bibliothèque
nationale
de France.

seconde moitié du siècle : *Le Journal des savants*, fondé en 1665, et *Le Mercure galant*, créé en 1672. Le premier publie quantité d'informations sur la vie littéraire et scientifique tandis que le second, presque exclusivement littéraire, accorde une place à l'érudition, à la critique (il joue un grand rôle dans la querelle des Anciens et des Modernes) et aux jeux d'esprits dont raffolent ses lecteurs, telles ces « énigmes » que chacun s'efforçait de déchiffrer chaque mois. JFG

▢ Racine (Jean)

Formé à Port-Royal, Jean Racine (1639-1699) a vingt-cinq ans lorsqu'il fait jouer sa première pièce, la *Thébaïde*. La scène tragique est alors occupée par un Corneille* vieillissant qui tente, sans y parvenir vraiment, de regagner la faveur du public. Dès ses premiers succès,

Racine a contre lui l'ancienne génération, les représentants de « la vieille Cour* », ceux qui avaient fait la gloire de Corneille, comme Mme de Sévigné. Après *Alexandre* (1665) et surtout *Andromaque* (1667), Racine triomphe définitivement de son rival et s'assure la faveur du jeune roi et de la Cour. Débutent alors pour lui dix années de gloire et de succès avec *Les Plaideurs* (1668), *Britannicus* (1669), *Bérénice* (1670), *Bajazet* (1672), *Mithridate* (1673), *Iphigénie* (1674)… Une cabale organisée en 1677, par la duchesse de Bouillon et le duc de Nevers, contre *Phèdre* décourage profondément Racine. Malgré la magnifique *Épître* que lui adresse la même année son ami Boileau*, il décide de renoncer au théâtre*. L'amour-propre blessé ne suffit pas à expliquer cette décision. L'auteur, de plus en plus préoccupé de questions morales, songe déjà sans doute à se réconcilier avec ses anciens maîtres auxquels il s'était violemment opposé au début de sa carrière, à la suite de la publication des *Lettres sur l'hérésie imaginaire* (1665) de Nicole*. L'une de ces lettres critiquait assez vivement l'art de la comédie*. Quelques mois plus tard, Racine répondait en publiant une *Lettre à l'auteur des Hérésies imaginaires* où il prenait la défense du théâtre.
En 1677, Racine devient historiographe de Louis* XIV, et le suit dans ses campagnes militaires. Après un silence de plus de dix ans, il revient au théâtre

« *Racine fait des comédies pour la Champmeslé ; ce n'est pas pour les siècles à venir. Si jamais il n'est plus jeune et qu'il cesse d'être amoureux, ce ne sera plus la même chose.* »

MME DE SÉVIGNÉ À MME DE GRIGNAN, 16 MARS 1672.

à la demande de Mme de Maintenon* et écrit pour les jeunes filles de Saint-Cyr *Esther* (1689) et *Athalie* (1691). Lorsqu'il meurt, le roi, très affecté par sa disparition, autorise son inhumation à Port-Royal. Après la destruction de Port-Royal en 1709, ses restes seront exhumés pendant la nuit et transférés à Saint-Étienne-du-Mont. JL

■ Rambouillet (hôtel de)

Catherine de Vivonne (1588-1665) épousa en 1600 Charles d'Angennes, marquis de Rambouillet. En 1604 le couple fit construire près du Louvre, suivant des plans élaborés par la marquise, une hôtel dont la conception nouvelle allait influencer l'architecture intérieure pour près de deux siècles. C'est là que pendant trente ans, attirés par la personnalité exceptionnelle de la maîtresse des lieux – belle, intelligente et enjouée, cultivée sans pédanterie, spirituelle sans prétention –, gens du monde et gens de lettres s'assemblèrent quotidiennement en des réunions où les discussions littéraires ou galantes, alternant avec jeux, concerts et comédies*, creuset où allait se forger l'idéal de l'« honnête* homme » de la période classique.

On trouvait autour de « l'incomparable Arthénice », recevant dans sa célèbre chambre bleue, aussi bien Voiture et Scudéry que le Grand Condé* et la Grande Mademoiselle, aussi bien Benserade et Chapelain que Corneille* et Bossuet*... Être accueilli à l'hôtel de Rambouillet devint un véritable brevet de bon ton, auquel Mme de Sévigné, introduite par Ménage*, ne pouvait que se soumettre. La fille aînée de la marquise, la belle Julie, qui inspira la fameuse *Guirlande*, recueil de madrigaux galants, était l'un des astres de ces réunions, et l'idole du duc de Montausier, qui finit par l'épouser après quinze années de cour assidue ; sa sœur cadette, Angélique, devint en 1658, la première épouse du comte de Grignan*. Le cénacle de l'hôtel de Rambouillet fut dispersé par la Fronde*, mais son influence, considérable tant sur la langue que sur les mœurs, persista longtemps et inaugura la tradition des « salons »*. JMB

Nicolas Robert, Frontispice de *La Guirlande de Julie*, v. 1642. Aquarelle sur vélin. Paris, coll. part.

« J'ai été faire des compliments pour vous à l'hôtel de Rambouillet ; on vous en rend mille. Madame de Montausier est au désespoir de ne vous pouvoir venir voir. »

Mme de Sévigné à Mme de Grignan, 13 mars 1671.

L'ampleur des réformes, des courants d'idées, des conflits, est telle au XVIIᵉ siècle que certains historiens ont pu parler d'une révolution religieuse. Dans les sciences comme dans la philosophie, dans le peuple comme dans les cours européennes, l'idée de Dieu et la préoccupation du salut sont omniprésentes. Depuis la fin du XVIᵉ siècle, où l'Europe faillit basculer dans le protestantisme, les pays catholiques appliquent l'enseignement du concile de Trente (1545-1563). Au début du XVIIᵉ siècle, la France est dominée par deux figures : le cardinal de Bérulle et saint François de Sales, qui donnent des orientations décisives à la réforme catholique. Né d'une querelle théologique au début du siècle, le jansénisme s'oppose, au nom de la

Philippe de Champaigne,
La Mère Catherine-Agnès Arnauld et la sœur Catherine de Sainte Suzanne Champaigne, dit *Ex-voto de 1662*.
1662. H/t 165 × 229. Paris, Louvre.

représentée par Mme Guyon et Fénelon, exerce aussi de puissants attraits.

Il s'en faut que l'église gallicane admette ces nouvelles orientations spirituelles où domine un mysticisme de moins en moins compatible avec le développement du rationalisme et les exigences de l'orthodoxie que Bossuet* défend âprement contre Fénelon.

Peu de siècles présentent une telle complexité, une telle série d'oppositions saisissantes : l'avènement du rationalisme scientifique et la pensée d'un Bérulle, le courant libertin et la spiritualité d'un Pascal ou d'un Surin, l'augustinisme de Port-Royal et l'aristotélisme des jésuites. Mais la volonté royale d'unifier la France sous le signe de l'orthodoxie gallicane appauvrit cette diversité des courants religieux, si féconde intellectuellement et littérairement. La révocation de l'édit de Nantes, en 1685, entraînera l'émigration des quelque deux cent mille protestants hors de France. Formée par ses lectures de saint Augustin, de Pascal et de Nicole, Mme de Sévigné est tout aussi attentive aux idées jansénistes qu'aux orientations de l'Église gallicane. JFG

pensée de saint Augustin, à l'aristotélisme et au thomisme des jésuites, qui multiplient alors leurs collèges.

Si le jansénisme trouve une telle audience, en dépit de l'hostilité de la Sorbonne et du pouvoir royal, c'est qu'il est défendu par des hommes comme Arnauld*, Pascal*, Nicole*, Racine*, Lancelot, etc. À la fin du siècle, la doctrine du « pur amour »,

« Si j'avais autant pleuré mes péchés que j'ai pleuré pour vous depuis que je suis ici, je serais très bien disposée pour faire mes pâques et mon jubilé. »

Mme de Sévigné à Mme de Grignan, 24 mars 1671.

Paul de Gondi, cardinal de Retz (1613-1679). Miniature. Chantilly, musée Condé.

Retz (cardinal de)

« Paul de Gondi, cardinal de Retz, a beaucoup d'élévation, d'étendue d'esprit, et plus d'ostentation que de vraie grandeur de courage. Il a une mémoire extraordinaire, plus de force que de politesses dans ses paroles ; [...] peu de piété, quelques apparences de religion. Il paraît ambitieux sans l'être ; la vanité, et ceux qui l'on conduit, lui ont fait entreprendre de grandes choses, presque toutes opposées à sa profession ; il a suscité les plus grands désordres de l'État, [...] il a su néanmoins profiter avec habileté des malheurs publics pour se faire cardinal. Il a souffert sa prison avec fermeté, et n'a dû sa liberté qu'à sa hardiesse [...]. La retraite qu'il vient de faire est la plus éclatante et la plus fausse action de sa vie [...]. »

Ce portrait au vitriol fut écrit par un ennemi personnel du

■ ROMAN
Du merveilleux à l'analyse psychologique

Bien qu'il connût un très vif succès durant tout le XVIIe siècle, le genre romanesque ne fut pas illustré par les plus grands auteurs. Tout le monde lit des romans mais aux yeux des lettrés, la noblesse et l'autorité de la tragédie* ou de la fable. Entre 1600 et 1610, près de soixante romans furent publiés. *L'Astrée* (1607-1627) d'Honoré d'Urfé fut regardé pendant longtemps comme le modèle presque insurpassable du genre.

Dans la foisonnante production de l'époque, quelques titres dominent. *L'Histoire comique de Francion* (1623), de Charles Sorel, est une œuvre satirique qui peint avec une grande liberté de ton les différentes classes sociales, imitant leurs formes de langage, comme le feront Balzac et Proust (voir Fortune critique). Outre *Le Virgile travesti*, Scarron écrit *Le Roman comique* (1651), qui est sans doute son œuvre majeure. Souvent inspiré d'œuvres espagnoles, le récit tend vers une forme de comique relevant autant de la parodie que du grotesque. Vive, précise, incisive jusqu'à la caricature, l'écriture de Scarron n'en est pas moins d'une grande pureté. *Le Roman bourgeois* (1666) de Furetière invente un certain réalisme dans son étude des mœurs de la bourgeoisie.

Dans la seconde moitié du siècle, le roman abandonne les travestissements antiques ou historiques et les descriptions minutieuses de milieux sociaux pour se concentrer sur l'analyse des sentiments, inaugurant ainsi la tradition du roman psychologique. On en voit l'ébauche dans les derniers romans de Mlle de Scudéry*. La réussite la plus éclatante de ces années fut *La Princesse de Clèves* (1678) de Mme de La* Fayette, abondamment commentée par Bussy-Rabutin* et Mme de Sévigné dans leur correspondance*. Celle qui passait dans sa jeunesse pour « une précieuse* de la plus belle volée » venait de produire en quelque sorte le prototype du récit analytique, dense et lucide, dont s'inspireront tant de romanciers jusqu'à aujourd'hui. JFG

cardinal, le duc de La Roche-foucauld*, et figure à la suite d'une lettre de la marquise à sa fille. Incisif, il est à l'image de celui de La Rochefoucauld rédigé par le cardinal dans ses mémoires. Qu'il s'agisse ou non d'un règlement de compte entre les deux hommes, il est bien révélateur de la personnalité ambiguë de Paul de Gondi. Après avoir reçu la coadjutorie de Paris en 1643, il en devint archevêque de 1654 à 1662. Son échec lors de la Fronde* lui valut d'être emprisonné. En 1662, il fut contraint de se démettre de sa dignité d'archevêque et se retira dans sa sei-gneurie de Commercy, recevant en compensation la commende de l'abbaye de Saint-Denis. C'est alors que Retz amorça une réelle conversion et rédigea ses *Mémoires*, témoignage remarquable sur la période troublée de la Fronde. AFC

■ Routes

L'état des routes, ou plutôt des chaussées était évidemment un objet central de préoccupation pour le contrôle de l'espace du royaume. En un temps où les déplacements se faisaient à cheval ou à pied, dans des conditions de sécurité souvent précaires, la qualité des chemins et

Les Retrouvailles d'Astrée et de Céladon. Tapisserie d'Aubusson, XVIIᵉ siècle. Château de La Bastie d'Urfé.

des ponts était aussi vitale dans la vie quotidienne que pour l'économie. Sur ce point encore, l'intervention du pouvoir royal fut décisive, puisqu'il s'efforça de gérer d'immenses parcours, le plus souvent négligés ou mal entretenus par les châtelains locaux. Encore fallait-il comprendre que le réseau routier était essentiel pour une économie largement agricole. Ce fut l'œuvre de Sully, ministre d'Henri IV. Exigeant d'énormes ressources, l'entreprise tourna court à la mort du roi. C'est seulement avec Colbert* que les projets de Sully prirent véritablement corps. Ils supposaient la création d'une administration des Ponts et Chaussées, composée d'intendants actifs, qui n'hésitaient pas à faire appel à d'excellents architectes (Libéral Bruand, François Le Vau, etc.) ou à des ingénieurs de haut niveau (Ferry, Thuillier, etc.). Toutes ces mesures ruinèrent à tout jamais les pouvoirs parfois excessifs des châtelains, des fermiers et des corporations sur les réseaux de communication. Avec Colbert, l'administration des Ponts et Chaussées étendit considérablement ses prérogatives et donna naissance à une véritable école où se distinguèrent ingénieurs et architectes. C'est ainsi que se forma ensuite le premier corps civil des Ponts et Chaussées (1713-1716). JFG

■ Saint-Germain (château de)

Avant le transfert définitif, en 1682, de la Cour* à Versailles*, ce château n'était que la résidence du roi et de ses proches pour de courtes périodes, ou le site de fêtes somptueuses comme les *Plaisirs de l'île enchantée* (1664) ou le grand divertissement de 1668.

Jusque-là, le séjour principal de la Cour était le château de Saint-Germain, cher au roi parce qu'il y était né et qu'il

François Adam Van der Meulen, *Le Château Neuf de Saint-Germain-en-Laye.* H/t 110 × 135. Paris, Carnavalet.

jouissait d'une situation magnifique, avec une vue sans égale sur toute l'Île-de-France d'un côté, et une immense forêt giboyeuse de l'autre. Quand, dans ses lettres, Mme de Sévigné parle d'une visite à la Cour, il s'agit, dans la plupart des cas, d'une visite à Saint-Germain.

La demeure royale était composée de bâtiments assez hétérogènes : reconstruit presque entièrement par François Ier, en conservant des éléments du donjon de Charles V et la chapelle de Saint Louis, le *château vieux* avait été augmenté d'un *château neuf*, commencé sous Henri II et complété sous Henri IV. C'est dans ce dernier bâtiment, construit à flanc de terrasse et surmontant de superbes jardins étagés jusqu'à la Seine, qu'était né le roi, mais c'est dans le *château vieux*, objet de constants travaux d'agrandissement, motivés par l'accroissement de la Cour, qu'il s'installa. Rien ne subsiste des transformations de

son règne, sinon la fameuse grande terrasse, créée en 1669 par Le Nôtre. Abandonné par le roi au profit de Versailles, Saint-Germain devint après 1689 la résidence du roi d'Angleterre déchu, Jacques II Stuart, et de sa cour. JMB

■ Salon

La société des salons, parfaite expression du génie français, qui connut son apogée au XVIIIe siècle, est née sous Louis XIV*, bien que le mot, dans cette acception n'existât pas encore. Les réunions de l'hôtel de Rambouillet*, qui rassemblèrent entre 1620 et 1650 tous les beaux esprits, en sont l'archétype ; le salon de la marquise de Lambert, qui dirigea la vie littéraire à la fin du règne du Grand Roi et sous la Régence, peut être considéré comme le premier « salon » du siècle des Lumières. Entre les deux, de multiples cénacles jalonnent l'évolution du cercle précieux,

D'après Abraham Bosse, *L'Ouïe*, v. 1635. H/t 104 × 137. Tours, musée des Beaux-Arts.

103

épris de recherches de langage, vers le « salon », voué au culte de la raison et de la connaissance. Somaize, dans son *Dictionnaire des précieuses** (1661), recense plus de deux cents « salons » à Paris, parmi lesquels ceux de nombreuses grandes dames – Mme de Sablé, Mme du Plessis-Guénégaud, la Grande Mademoiselle, Mme de Brégy, etc. –, mais aussi ceux de bourgeoises – comme Mme Cornuel ou Mme Pilou, célèbre pour sa laideur autant que pour sa causticité –, ou d'écrivains, comme Ménage* et ses réunions du mercredi *(les mercuriales)*. Chaque salon avait une nuance particulière, plutôt politique ou littéraire, plus orienté vers la philosophie ou plus franchement mondain. Le plus important, véritable héritier de l'hôtel de Rambouillet, fut celui de Mlle de Scudéry* : pendant près de cinquante ans, elle réunit chaque « samedi » dans son modeste logis tout ce que Paris comptait d'hommes de lettres. Ces « compagnies », adonnées aux divertissements littéraires – lors de la « journée des madrigaux », le 20 décembre 1653, Mlle de Scudéry et Pellisson échangèrent des impromptus du matin au soir – se caractérisaient aussi par leurs revendications féministes, leur reconnaissance de la supériorité de l'esprit sur le rang. Elles forgèrent peu à peu l'idéal de

« l'honnête* homme » de la période classique et établirent les règles de l'art de la conversation*, qui allait trouver son expression la plus brillante dans les comédies* de Marivaux. Mme de Sévigné, grâce à une éducation moderne et libérale, à un esprit ouvert aux nouveautés et enjoué, était accueillie partout avec empressement. Ses lettres, écrites au fil de la plume, permettent de comprendre ce qu'était la conversation des salons. JMB

■ Scudéry (Madeleine de)

Sœur de l'homme de lettres du même nom, Madeleine de Scudéry (1607-1701) fut l'une des grandes figures littéraires du XVIIe siècle.

Après de solides études, elle fréquente l'hôtel de Rambouillet*. Elle y rencontre les plus brillants esprits de Paris, Paul Pellisson, Jean Chapelain, Valentin Conrart, Gilles Ménage*, d'Aubignac et Furetière, qui lui donne le sobriquet de « pucelle du Marais* ». Son nom restera associé à la préciosité (voir Précieuses littéraires) et à l'invention de la « Carte du Tendre ». Les romans* composent l'essentiel de son œuvre littéraire. Par son goût pour les aventures à la limite du vraisemblable, les amours déçues et les situations obéissant à de complexes codifications, Mlle de Scudéry pro-

Jacques Stella, (1596-1657) *Clélie passant le Tibre.* H/t 137 × 101. Paris, Louvre.

« *Mlle de Scudéry vient de m'envoyer deux petits tomes de* Conversations ; *il est impossible que cela ne soit bon, quand cela n'est point noyé dans son grand roman.* »

Mme de Sévigné à Mme de Grignan, 25 septembre 1680.

longe la tradition inaugurée par
L'Astrée d'Honoré d'Urfé. *Arta-
mène ou Le Grand Cyrus* met en
scène, sous les traits d'une Antiquité feinte, le monde qui fré-
quentait l'hôtel de Rambouillet,
le Grand Condé*, la duchesse
de Longueville, etc.
Clélie, histoire romaine accorde
une place nouvelle à l'observation psychologique. Dans ce
livre, Mme de Sévigné est
représentée sous la figure de la
princesse Clarinte. L'histoire
d'*Artaxandre* est une fresque
dans laquelle se retrouvent,
dépeints avec verve, les personnages, les œuvres et les événements les plus frappants de
l'époque. Avec *Artaxandre*,
l'Antiquité est désormais congédiée du genre romanesque.
Outre des poèmes, Mlle de Scudéry a également composé des
recueils de *Conversations nouvelles* et de *Conversations morales*
qui sont un modèle de vivacité,
de naturel et d'intelligence. JFG

◼ Séguier (Pierre)

Au XVIIe siècle, le chancelier
était le premier des grands offi-
ciers de la Couronne, venant
immédiatement après les
princes du sang dans la hiérarchie sociale ; rattachés à la Couronne et non au roi, il était res-
ponsable de l'expédition et du
scellement des actes royaux, il
incarnait la justice royale et participait à la gestion des finances.
Après sa prise de pouvoir, en
1661, Louis XIV* diminua peu
à peu le rôle du chancelier tout
en lui conservant tous les hon-
neurs protocolaires. C'est Pierre
Séguier (1588-1672), devenu
chancelier en 1635, qui vécut la
décadence de la charge. Tout
puissant sous Richelieu, qui
l'avait fait, et sous Mazarin*,
malgré quelques périodes de
défaveur, il perdit une grande
partie de ses pouvoirs sous Colbert*, en dépit de la partialité
qu'il avait montré au cours du
procès de Fouquet*, en acca-

Charles Le Brun,
*Le Chancelier
Séguier*, v. 1655.
H/t 295 × 357.
Paris, Louvre.

blant le surintendant déchu de questions insidieuses, pour complaire au roi.

Mme de Sévigné a laissé un récit de sa fin édifiante : « Son bel esprit, sa prodigieuse mémoire, sa naturelle éloquence, sa haute piété se sont rassemblés aux derniers jours de sa vie. La comparaison du flambeau qui redouble sa lumière en finissant est juste pour lui. » JMB

■ Servien (Abel)

Abel Servien, marquis de Sablé, fit carrière dans la magistrature en débutant en 1616 comme Procureur général au parlement de Grenoble, sa ville natale. Conseiller d'État en 1618, maître des Requêtes de l'hôtel du Roi en 1624, il fut ensuite envoyé en Guyenne pour y exercer les fonctions d'intendant de Justice, Police et Finances. Par sa famille il entretenait des relations dans les milieux parlementaires, financiers et auprès de quelques grands de la Cour*, comme les ducs de Saint-Aignan et de Sully. Habile politique*, il obtint le poste de secrétaire d'État de la Guerre* et reçut plusieurs missions extraordinaires de diplomatie, concluant les traités de Cherasco (1631) et de Munster (1648).

Mais il fut aussi exilé à deux reprises, pour être finalement rappelé en 1653, lors du retour de Mazarin*. Celui-ci le nomma surintendant des Finances, fonction partagée avec Fouquet*. Mme de Sévigné en parle peu et uniquement par l'intermédiaire de Gilles Ménage*, qui avait su s'assurer successivement

les protections du cardinal de Retz*, de Mazarin et de Fouquet. Ménage se flattait de concilier les bonnes grâces du ministre à la marquise ; celles-ci furent inutiles ; Servien mourut le 17 février 1659. AFC

■ Sévigné (Henri et Charles de)

« Il est beau cavalier et bien fait de sa personne et paraît avoir de l'esprit. » Olivier Lefèvre d'Ormesson a laissé une description flatteuse de celui qui fut pendant sept ans le mari de Marie de Rabutin-Chantal. Son portrait* montre, en effet, un homme séduisant, aux traits fins, au regard non dépourvu de malice laissant supposer un esprit vif qui ne devait pas déplaire à la jeune Marie. Issu de l'une des plus anciennes familles de la noblesse bretonne, Henri était un fort beau parti pour l'héritière du nom des Rabutin. Leur mariage fut célébré le 4 août 1644, en l'église Saint-Gervais. Tallemant des Réaux, dans ses *Historiettes*, est plus négatif : « Ce Sevigny n'estoit point un honneste homme, et il ruinoit sa femme qui est une des plus aimables et des plus honnestes personne de Paris. » Jugement sévère mais réaliste pour celui qui fut très vite un époux volage, prompt à mettre la main à l'épée et qui succomba à vingt-huit ans des suites d'une blessure reçue en duel. Henri laissait deux enfants : Françoise-Marguerite, née le 10 octobre 1646, et Charles, né le 12 mars 1648. Charles avait hérité quelques travers de son père, mais aussi la beauté de ses traits et sa grâce presque féminine. Lui-même aimait à plaisanter de sa beauté : « Voilà ce que c'est que d'être trop charmant ; ah, mon père ! pourquoi me faisiez-vous si beau ? » Aimable de caractère et divertissant, il était aimé de tous. Sous-lieute-nant aux gendarmes-dauphin, il occupait ses loisirs à la lecture, mais aussi à courtiser les belles : père et fils avaient chacun à leur tour été l'amant de la belle Ninon. En 1683, Charles vendit sa charge pour se retirer sur ses terres en Bretagne* et épouser Mlle de Mauron. AFC

Double page suivante : d'après Abraham Bosse, *Représentation théâtrale au XVIIᵉ siècle* (détail), 1644. Fresque. Château de Grosbois.

■ SIÈCLE DE LOUIS XIV
Les ambiguïtés d'un long règne

Pour des hommes habitués à considérer le siècle de Périclès ou le siècle d'Auguste comme des moments exemplaires de l'histoire de l'humanité, le règne de Louis XIV* apparut comme l'âge de l'épanouissement des arts et des lettres. Le livre de Voltaire, *Le Siècle de Louis XIV,* donna une légitimité à cette expression avec d'autant plus de force qu'il esquissait une philosophie de l'histoire, dominée par l'idée de progrès et d'accomplissement.

La longueur du règne du monarque ne peut cependant pas faire oublier que Poussin, Lorrain, Corneille*, Le Vau ou Descartes* sont les contemporains de Louis XIII et de Mazarin*. Le trait dominant de l'époque de Louis XIV, c'est l'apparition des académies* royales qui, de l'architecture à la peinture, de la sculpture aux lettres, des arts décoratifs au théâtre* et à l'opéra, ont formé le système le plus centralisé que la France ait connu.

Ainsi, Le Brun cumule titres et fonctions : secrétaire puis directeur de l'Académie royale de peinture et de sculpture, premier peintre du roi, directeur de la manufacture des Gobelins, il exerce une autorité grandissante sur les peintres, les sculpteurs et les décorateurs. Lors d'une conférence donnée en 1668 par Philippe de Champaigne sur un tableau de Poussin (*Eliezer et Rebecca*), il invite Colbert* à y assister et, à la demande des peintres académiciens, à participer au débat sur la définition des règles de l'art. C'est dans ce cadre institutionnel que le discours sur l'art (théorique et critique) verra le jour en France. De même, Jules Hardouin Mansart, soutenu par Louvois, entretient un véritable monopole sur la plupart des grands travaux d'architecture à la fin du siècle. Le respect de l'autorité et le principe de cooptation ne se font presque jamais au détriment du mérite et du talent. Succédant à Le Brun, Mignard, artiste sans génie, montre un esprit libéral, en particulier à propos du débat sur le coloris. Jamais la création ne fut à ce point liée avec le pouvoir politique, du moins en France. Or, en dépit des risques d'académisme et de sclérose perceptibles dans la peinture, les arts, pourtant si soumis aux ordonnances royales, ont donné naissance à une profusion de formes, d'inventions et de figures qui firent de Versailles* et de Paris* les vraies rivales de Rome. JFG

De gauche
à droite :
*Robert Guérin dit
Gros Guillaume
dans la comédie
et la farce ;
Bertrand Harduin
dit Guillot-Gorgu,
comédien de l'hôtel
de Bourgogne.*
Lithographies de
Langlumé. Paris,
bibliothèque des
Arts décoratifs.

■ Théâtre

Soutenu par Richelieu et par Louis XIV*, le théâtre connaît au XVIIᵉ siècle un essor sans précédent. Les représentations organisées chaque année dans les collèges jésuites, les tournées de compagnies professionnelles, la présence de troupes d'amateurs dans de nombreuses villes, développent le goût pour le théâtre.
À Paris, vers le milieu du siècle, plusieurs compagnies se partagent les faveurs du public : les « Comédiens du Roi » de l'hôtel de Bourgogne – maîtres de la diction tragique –, la troupe du Marais*, celle des Italiens, et celle de Molière* (voir Comédie) qui s'installe en 1658. Après la mort de Molière, sa troupe se fond avec celle du Marais et, en 1680, avec celle de l'hôtel de Bourgogne, donnant ainsi naissance à la Comédie française. À partir de cette date, les représentations,

qui avaient lieu trois jours par semaine, deviennent quotidiennes. Les comédiens donnent aussi des représentations chez les grands et à la Cour*. La notoriété de certains d'entre eux était si grande qu'ils furent enterrés religieusement, malgré l'interdit de l'Église. Lagrange ou la Champmeslé bénéficièrent de cette dérogation, et le roi intervint personnellement pour que Molière obtienne un coin de terre consacrée. Très tôt, certains moralistes et hommes d'Église s'élèvent contre la pratique du théâtre. Les critiques de Nicole* provoqueront les foudres de Racine* et sa rupture avec Port-Royal. Vers la fin du siècle, favorisée par le climat de dévotion qui régnait à la Cour, la querelle du théâtre prend un tour parfois violent, comme l'attestent les *Maximes et réflexions sur la comédie* (1694) d'un Bossuet*. JL

« Bajazet *est beau […]. Je trouve cependant qu'elle ne surpasse pas* Andromaque, *et pour ce qui est des belles comédies de Corneille, elles sont autant au-dessus, que celles de Racine sont au-dessus de toutes les autres.* »

Mme de Sévigné à Mme de Grignan, 15 janvier 1672.

■ Tragédie

Une génération d'auteurs talentueux, les encouragements du pouvoir, de Richelieu surtout, et la formation d'un public exigeant, auront fait de la première moitié du XVIIᵉ siècle une période incomparable pour l'épanouissement de la tragédie. De 1615 à 1625, les œuvres de Racan, de Théophile de Viau ou de Hardy donnent corps à un théâtre* souvent d'inspiration baroque. Les décennies suivantes, d'une extraordinaire vitalité, sont dominées par Pierre Corneille*, qui parvient à renouveler complètement la comédie* comme la tragédie. En quelques années sont représentées les œuvres de Rotrou, Tristan L'Hermite, Mairet, Du Ruyer, toutes fort différentes par la conception comme par le style. La représentation du *Cid*, en 1637, fait naître des controverses qui obligeront les dramaturges à mieux définir les règles de la tragédie. D'où les multiples débats sur la distinction du vrai et du vraisemblable, sur les règles des trois unités, etc.

C'est durant ces années que la dramaturgie trouve ses théoriciens les plus rigoureux : l'abbé d'Aubignac *(La Pratique du théâtre)* et Corneille *(Examens et Discours)*, pour ne citer qu'eux. Au cours de la seconde moitié du siècle, la tragédie perd peu à peu les faveurs du public, en dépit des dernières œuvres de Corneille vieillissant. L'immense succès du *Timocrate* de Thomas Corneille (le frère de Pierre) ne peut masquer le fait que les poètes tragiques ne semblent plus posséder l'art de plaire. C'est dans un climat moins enthousiaste que sont représentés les chefs-d'œuvre de Racine*. En 1691, *Athalie* sera jouée devant un public fort restreint. JL

■ Turenne (Henri de)

Grandeur, connaissances et spiritualité caractérisent parfaitement Henri de Turenne (1611-1675), qui fut le plus grand militaire de son temps. Destiné aux armes dès son plus jeune âge, il se fit apprécier des grands mais également de ses hommes dont il savait être proche et qu'il ne menait au combat qu'après l'avoir minutieusement préparé. Après plusieurs succès éclatants, se jugeant mal remercié par le pouvoir, il prit parti pour la Fronde* et passa à l'Espagne. À la différence de Condé*, il revint à son roi dès 1651 et défit Condé à la bataille des Dunes en 1658. Cette brillante victoire, sur l'ami de la veille, lui valut d'être

Charles Le Brun, *Henri de Turenne.* Étude pour l'*Entrevue de l'île des Faisans*, v. 1665. H/t 67 × 52. Musée national du château de Versailles.

« [...] ce n'est pas depuis sa mort que l'on admire la grandeur de son cœur, l'étendue de ses lumières et l'élévation de son âme ; tout le monde en était plein pendant sa vie et vous pouvez penser ce que fait sa perte par dessus ce qu'on était déjà. »

MME DE SÉVIGNÉ À MME DE GRIGNAN, 16 AOÛT 1675.

chargé de parachever l'éducation militaire de Louis XIV* et de réorganiser l'armée. Dès la reprise des hostilités, il prit la tête de l'armée d'Allemagne et partagea avec Condé, rentré en grâce, la direction des opérations. Fervent adepte de la guerre* de mouvement, Turenne conduisit les armées du roi à la victoire. Ce fut à l'occasion d'une reconnaissance, avant d'engager un combat, qu'il rencontra la mort. Cette fin héroïque, Mme de Sévigné l'a retracée d'un trait de plume devenu célèbre : « Mais vous n'avez pas vu la mort de M. de Turenne, ni ce coup de canon tiré au hasard, qui le prend seul entre dix ou douze. Pour moi, qui vois en tout la Providence, je vois ce canon chargé de toute éternité. » AFC

◼ Vatel (François)

François Vatel (1631-1671) est l'une de ces figures marginales de l'histoire qui, sans la plume de Mme de Sévigné, ne serait certainement pas passé à la postérité. D'abord cuisinier de Fouquet*, il était devenu, en raison de talents de gestion hors pair, son maître d'hôtel et une sorte de factotum chargé de toutes les affaires matérielles. À ce titre, il fut le génial organisateur de la fameuse fête de Vaux* (17 août 1661), qui allait entraîner la chute du ministre. La disgrâce du maître rejaillit sur son inten-

Double portrait de François Vatel, XVIIe siècle. Dessin. Chantilly, musée Condé.

dant qui dut fuir quelques années en Angleterre. Revenu en France en 1664, il entra alors au service du Grand Condé* et reprit le rôle d'intendant qu'il avait si bien joué auprès de Fouquet, notamment dans l'organisation des fêtes de Chantilly. La grande réception offerte par le prince au roi et à la Cour*, en avril 1671, éclatante confirmation de son retour en grâce, se devait d'être irréprochable. Le « contrôleur de Monsieur le Prince » y mit tout son zèle, n'hésitant pas à veiller plus de douze nuits pour tout préparer. Parvenu à un point d'extrême fatigue, il ne supporta pas l'annonce – fausse – que le poisson prévu pour les repas du vendredi viendrait à manquer. Il monta à sa chambre, mit son épée contre la porte et se la passa au travers du cœur, « n'ayant pu soutenir l'affront [...] qui l'allait accabler ». JMB

■ Vaux-le-Vicomte (château de)

*« Il me fit voir en songe
un palais magnifique,
Des grottes, des canaux,
un superbe portique,
Des lieux que pour leurs beautés
J'aurais pu croire enchantés »*

C'est en ces termes que La Fontaine*, ami de Nicolas Fouquet*, décrit dans un long récit poétique laissé inachevé, *Le Songe de Vaux*, l'importante demeure que le surintendant s'était fait élever au sud-est de Paris, véritable prélude aux splendeurs de Versailles*. Les travaux, commencés en août 1656, n'étaient pas encore achevés lorsque Fouquet fut arrêté sur ordre du roi, le 5 septembre 1661.

L'architecture avait été confiée à Louis Le Vau, le décor intérieur au jeune talent de Charles Le Brun et les jardins au génie de Le Nôtre. Chacun y donna le meilleur de lui-même, ouvrant la voie à des solutions artistiques promises à un brillant avenir.

Fouquet fit également de Vaux le cadre de somptueuses fêtes pour lesquelles il avait su s'assurer les services de Molière*, Torelli, Lully (voir Musique) ou encore du célèbre Vatel*. La plus fameuse d'entre elles, mais aussi la dernière, fut celle qu'il offrit au roi le 17 août 1661, où comédie*, ballet*, musique* et feux d'artifices alternèrent avec collations et festin.

Amie de Fouquet, Mme de Sévigné se rendit sans doute à plusieurs reprises à Vaux ; malheureusement le peu de lettres conservé pour cette période n'en fait pas état.

Ce n'est que plus tard, à l'occasion d'un passage à Vaux en 1676, qu'elle évoque, non sans nostalgie, les fontaines du domaine. AFC

Château de Vaux-le-Vicomte, façade sur jardin.

Versailles (château de)

Quand le jeune Louis XIV* décida de faire construire un château à Versailles, son choix fut moins dicté par la beauté du site que par la mémoire de son père qui y avait fait édifier un pavillon de chasse.

Il fit appel aux artistes qui avaient travaillé à Vaux* pour Fouquet*. Le Vau construisit la célèbre cour de marbre, qui forme en quelque sorte le noyau de l'ensemble, et réalisa, aidé par son beau-fils François d'Orbay, la façade du bâtiment donnant sur le jardin. Secondé par de multiples peintres et sculpteurs, Le Brun accomplit un programme gigantesque et somptueux pour la décoration intérieure. Des jardins dessinés par Le Nôtre rehaussèrent magnifiquement les traits les plus saillants de cette architecture dont s'inspirera le XVIIIe siècle européen. Enfin, Louis XIV fit ajouter deux grandes ailes par Hardouin Mansart.

Expression de la volonté d'éclipser Rome, comme centre européen de la création artistique, Versailles eut du moins l'immense mérite de donner à tous les arts un nouvel élan. Les contemporains assistèrent avec émerveillement à ce qui apparaissait comme la naissance d'un art nouveau, sans comparaison avec ce que la France avait connu auparavant. L'architecture, la sculpture et les arts décoratifs connurent un essor considérable qui favorisa la définition des styles du XVIIIe siècle (en particulier le rococo).

Soumise aux impératifs des grands programmes versaillais, la peinture n'atteint pas toujours la plus haute maîtrise dans le genre historique et allégorique, malgré les efforts de deux générations d'artistes. La signification de Versailles est en outre symbolique et politique. Rarement, en effet, un art s'était identifié à ce point avec la monarchie absolue, c'est-à-dire avec le désir de gloire du roi. Dans ce palais éloigné de Paris, donc du peuple, le centre politique aura été la source d'où naîtront les diverses Académies* des arts et des sciences, les innovations stylistiques souvent les plus heureuses, et les excès administratifs qui en firent un symbole de l'âge classique. JFG

École française du XVIIe siècle, *Vue du château de Versailles sur le parterre d'eau,* v. 1675. H/t 136 × 154. Musée national du château de Versailles.

« *Je reviens de Versailles.*
J'ai vu ces beaux appartements ; j'en suis charmée.
Si j'avais lu cela dans quelque roman, je me ferais
un château en Espagne d'en voir la vérité.
Je l'ai vue et maniée ; c'est un enchantement. C'est une véritable
liberté ; ce n'est point une illusion comme je le pensais.
Tout est grand, tout est magnifique, et la musique et la danse
sont dans leur perfection. »

Mme de Sévigné à Guitaut, 9 février 1683.

1600 Mariage d'Henri IV et de Maris de Médicis. *Odes,* de François de Malherbe (1555-1628).

1607 *L'Astrée,* d'Honoré d'Urfé (1567-1625).

1608 *Introduction à la vie dévote,* de saint François de Sales (1567-1622).

1610 Assassinat d'Henri IV. Avènement de Louis XIII (1601-1643).

1616 *Les Tragiques,* d'Agrippa d'Aubigné (1552-1630).

1618 Début de la guerre de Trente ans. Naissance de Roger de Bussy-Rabutin.

1619 *Arthénice ou les Bergeries,* d'Honoré de Bueil, marquis de Racan (1589-1670).

1624 Début du ministère de Richelieu (1585-1642). *Lettres,* de Jean-Louis Guez de Balzac (1597-1654).

1626 Le 5 février, naissance de Marie de Rabutin-Chantal, future marquise de Sévigné.

1627 Siège de La Rochelle. Mort de Celse-Bénigne de Rabutin-Chantal, père de Mme de Sévigné.

1631 Création de « La Gazette », par Théophraste Renaudot.

1633 Mort de Marie de Coulanges, mère de Mme de Sévigné.

1635 Fondation de l'Académie française.

1636 Triomphe du *Cid,* de Pierre Corneille (1606-1684).

1637 Début de la société des « solitaires » de Port-Royal. *Discours de la méthode,* de René Descartes (1596-1650).

1638 Naissance de Louis XIV.

1640 *Horace* et *Cinna,* de Corneille.

1641 *Méditations,* de Descartes.

1642 Mort de Richelieu, auquel succède Mazarin (1602-1661).

1643 Mort de Louis XIII. Régence d'Anne d'Autriche.

1644 *Les Principes de la philosophie,* de Descartes. Mariage de Marie de Rabutin avec le marquis Henri de Sévigné (1623-1651).

1646 Naissance de Françoise-Marguerite de Sévigné, future comtesse de Grignan.

1647 *Remarques sur la langue française,* de Vaugelas.

1648 Fin de la guerre de Trente ans. Début de la Fronde (1648-1653). Naissance de Charles de Sévigné.

1649 *Les Passions de l'âme,* de Descartes. *Le Grand Cyrus* (1649-1653), de Mlle de Scudéry (1607-1701).

1651 Henri de Sévigné meurt des suites d'un duel.

1653 Nicolas Fouquet (1615-1680) est nommé surintendant des Finances. Condamnation du jansénisme.

1656 *Les Provinciales,* de Blaise Pascal (1623-1662).

1659 Triomphe des *Précieuses ridicules,* de Molière (1622-1673).

1660 Mariage de Louis XIV et de Marie-Thérèse d'Autriche. Premières *Satires,* de Nicolas Boileau (1636-1711).

1661 Mort de Mazarin. Début du règne personnel de Louis XIV. Fêtes de Vaux et arrestation de Fouquet. *Dictionnaire des précieuses,* du sieur de Somaize.

1662 *L'École des femmes,* de Molière. *La Logique ou l'art de penser,* d'Antoine Arnauld (1612-1694) et Pierre Nicole (1625-1695).

1663 Succès de Mlle de Sévigné à la cour du jeune Louis XIV. Descartes est mis à l'Index.

1664 Condamnation de Fouquet. *Maximes,* de François duc de La Rochefoucauld (1613-1680).

1665 Diffusion et scandale de l'*Histoire amoureuse des Gaules* de Bussy, qui est emprisonné à la Bastille. Légère disgrâce de Mlle de Sévigné.

1666 *Le Misanthrope,* de Molière. Exil de Bussy.

1667 *Andromaque,* de Jean Racine (1639-1699).

1668 Paix d'Aix-la-Chapelle entre la France et l'Espagne. Premières *Fables* (1668-1694) de Jean de La Fontaine (1621-1695). *Grand divertissement* à Versailles : Mme de Sévigné et sa fille sont conviées à la table du roi.

1669 *Oraison funèbre d'Henriette de France,* de Jacques Bénigne Bossuet (1627-1704). Mariage de Françoise-Marguerite de Sévigné et de François comte de Grignan (1632-1714), qui est nommé lieutenant-général pour le roi en Provence.

1670 Publication posthume des *Pensées*, de Pascal.

1671 Mme de Grignan rejoint son époux en Provence : première séparation d'avec sa mère (de février 1671 à juillet 1672).

1672 Début de la guerre de Hollande (1672-1678). *Les Femmes savantes*, de Molière. Fondation du *Mercure français*. Jean-Baptiste Lully (1632-1687), directeur de l'Académie de musique.
Premier voyage de Mme de Sévigné à Grignan (du 13 juillet 1672 au 5 octobre 1673).

1673 Seconde séparation de Mme de Sévigné et de sa fille (d'octobre 1673 à février 1674).

1674 *Art poétique*, de Boileau. *Alceste*, tragédie lyrique sur une musique de Lully.
Arrivée de Mme de Grignan à Paris, en février.

1675 Troisième séparation de Mme de Sévigné et de sa fille, qui repart en Provence (de mai 1675 à décembre 1676).

1676 *Athys*, tragédie lyrique sur une musique de Lully.
Retour de Mme de Grignan à Paris.

1677 *Phèdre*, de Racine.
Quatrième séparation de Mme de Sévigné et de sa fille qui repart en Provence (de juin à novembre).
Installation de Mme de Sévigné à l'hôtel Carnavalet.

1678 Traités de Nimègue.
La Princesse de Clèves, de la comtesse de La Fayette (1634-1693).

1679 Cinquième séparation de Mme de Sévigné et de sa fille (de septembre1679 à décembre 1680).

1680 Fondation de la Comédie-Française.

1681 *Discours sur l'histoire universelle*, de Bossuet.

1682 Bussy est rappelé d'exil.

1684 Mariage de Charles de Sévigné avec Marguerite de Mauron. Sixième séparation de Mme de Sévigné et de sa fille (de septembre 1684 à septembre 1685).

1685 Révocation de l'édit de Nantes.

1686 Ligue d'Augsbourg.
Armide, tragédie lyrique sur une musique de Lully.

1687 Querelle des Anciens et des Modernes. *Traité de l'éducation des filles*, de Fénelon. *Le Dictionnaire*, de Furetière.
Septième séparation de Mme de Sévigné et de sa fille (de septembre à octobre).

1688 Guerre de la Ligue d'Augsbourg (1688-1696).
Huitième séparation de Mme de Sévigné et de sa fille (d'octobre 1688 à octobre 1690).

1690 Mme de Sévigné rejoint sa fille à Grignan.

1691 Retour à Paris de Mme de Sévigné, accompagnée de sa fille et de son gendre.

1693 Mort de Roger de Bussy-Rabutin.

1694 Neuvième séparation de Mme de Sévigné et de sa fille (de mars à mai). Mme de Sévigné part à Grignan, elle ne reviendra plus à Paris.

1695 Mme de Grignan tombe gravement malade.

1696 Parution des *Mémoires* de Bussy-Rabutin.
Mort de Mme de Sévigné à Grignan, le 17 avril.

1697 Traité de Ryswick.
Parution des *Lettres* de Bussy-Rabutin.

1699 *Les Aventures de Télémaque*, de Fénelon.
Condamnation de Fénelon et du quiétisme.

1702 Guerre de la Succession d'Espagne.

1705 Mort de la comtesse de Grignan.

1707 *Le Diable boiteux*, de Lesage.

1713 Mort de Charles de Sévigné, sans postérité.

1714 Mort du comte de Grignan.

1715 Mort de Louis XIV.

1725 Première édition des *Lettres* de Mme de Sévigné, à Troyes.

BIBLIOGRAPHIE SÉLECTIVE

Correspondance de Madame de Sévigné, texte établi, présenté et annoté par Roger Duchêne, Paris, « Bibliothèque de la Pléiade », 1972-1978.
Lettres, choix, introduction, chronologie, notes et archives de l'œuvre par Bernard Raffali, Paris, 1976.
Roger Duchêne, *Madame de Sévigné ou la chance d'être femme*, Paris, 1982.
Jacqueline Lichtenstein, *La Couleur éloquente. Rhétorique et peinture à l'âge classique*, Paris, 1989.

Marc Fumaroli, *L'École du silence. Le sentiment des images au XVIIe siècle*, Paris, 1994.
Alain Mérot, *La Peinture française au XVIIe siècle*, Paris, 1994.
Marc Fumaroli, *L'Âge de l'éloquence*, Paris, réed. 1995.
Roger Duchêne, *Naissance d'un écrivain : Madame de Sévigné*, Paris, 1996.
Madame de Sévigné, catalogue d'exposition, Paris, 1996.

I N D E X

INDEX

Crédits photographiques : ÉPOISSES, Association du château d'Époisses 64 ; LONDRES, National Gallery 87 ; PARIS, Archives Flammarion 77, 88h, 92, 94, 95h, 112h-113, 114-115 ; Bibliothèque nationale de France 18, 21, 29, 66-67h ; Jean-Loup Charmet 32-33h, 54 ; Serge Chirol/Anne Gaël 14-15, 42-43 ; Dagli Orti 6, 28, 30, 34-35, 36-37, 40, 42h, 44, 45, 52, 67b, 74, 80, 88b, 89, 96, 98-99, 101, 102, 103, 105, 110g, 110d ; Hubert Josse 108-109 ; Musée de la Poste 48-49h ; Photothèque des musées de la ville de Paris 4-5, 13, 25, 47, 56, 59, 60, 70, 76, 86, 93 ; Réunion des musées nationaux 17, 20, 22-23, 29h, 31, 38, 50-51, 53, 57, 62-63, 65, 75, 81, 82-83, 84-85, 90, 91, 104, 107, 111 ; VANVES, Giraudon 26, 33b, 42b, 55, 61, 72-73, 79, 95b, 97, 100h, 112b ; VITRÉ, Château des Rochers-Sévigné 10, 11h, 11b, 12, 16, 69, 71, 106.

Cet ouvrage a été réalisé grâce au concours de Paris-Musées.

Directeur de la Série Art : Stéphane GUÉGAN
Coordination éditoriale : Béatrice PETIT
Rewriting : Catherine BRAY
Direction artistique : Frédéric CÉLESTIN
Mise en pages : Thierry RENARD
Photogravure, Flashage : Pollina s.a., Luçon
Papier : BVS-Plus brillant 135 g. distribué par Axe Papier, Champigny-sur-Marne
Couverture imprimée par Pollina s.a., Luçon
Achevé d'imprimer et broché en août 1996 par Pollina s.a., Luçon

© 1996 Flammarion, Paris
ISBN : 2-08-012476-5
ISSN : 1258-2794
N° d'édition : 1216
N° d'impression : 69954
Dépôt légal : septembre 1996
Imprimé en France

pp. 4-5 : Anonyme, *La place Royale avec la statue de Louis XIII* (détail). Paris, musée Carnavalet.